宋代研究丛书

# 成圣之道
## ——北宋二程修养工夫论之研究

温伟耀 著

河南大学出版社

**图书在版编目(CIP)数据**

成圣之道——北宋二程修养工夫论之研究/温伟耀著. 开封:河南大学出版社,2004.4(2006.2重印)
(宋代研究丛书)
ISBN 7-81091-005-1

Ⅰ.成… Ⅱ.温… Ⅲ.①程颢(1032~1085)-哲学思想-研究②程颐(1033~1107)-哲学思想-研究 Ⅳ.B244.65

中国版本图书馆 CIP 数据核字(2003)第 006822 号

| | |
|---|---|
| 书　　名 | 成圣之道——北宋二程修养工夫论之研究 |
| 作　　者 | 温伟耀 |
| 责任编辑 | 刘坤太　　　　责任校对　马尚文 |
| 装帧设计 | 刘广祥 |
| 出　　版 | 河南大学出版社 |
| | 地址:河南省开封市明伦街 85 号　邮编:475001 |
| | 电话:0378—2864669(事业部)　0378—2825001(营销部) |
| | 网址:www.hupress.com.cn　E-mail:bangong@hupress.com.cn |
| 经　　销 | 河南省新华书店　　　　排　版　河南大学出版社印务公司 |
| 印　　刷 | 河南第二新华印刷厂　　版　次　2004 年 4 月第 1 版 |
| 印　　次 | 2006 年 3 月第 2 次印刷　开　本　850mm×1168mm　1/32 |
| 印　　张 | 5.75　　　　　　　　　字　数　150 千字 |
| 印　　数 | 1001—3000 册 |

ISBN 7—81091—005—1/K・329　　定　价:18.00 元

(本书如有印装质量问题请与河南大学出版社营销部联系调换)

# 目　录

| | |
|---|---|
| 自　序 | I |
| 导　言 | I |
| 凡　例 | I |

**第一章　序论：关于二程的研究** …………………… 1
　一、近百年来二程思想研究的发展 ………………… 2
　　（一）抗日战争以前的二程研究 ………………… 2
　　（二）由抗战至 20 世纪 60 年代的二程研究 …… 5
　　（三）牟宗三的《心体与性体》及其影响 ………… 7
　　（四）20 世纪 80 年代以后二程研究的发展 …… 10
　二、二程研究的核心问题及本书的哲学立场 ……… 15

**第二章　程明道即"一本"言工夫之义理格局** …… 21
　一、引言："一本"之境界 …………………………… 21
　二、"一本"境界之内涵与义理格局 ……………… 26
　　（一）"一本"论作为一种圆顿的观照境界 …… 26
　　　（1）通过"本体"统摄"存在"
　　　　　——从把持本源的统摄意向破分别相的境界
　　　　　…………………………………………… 26
　　　（2）即"存在"即"本体"
　　　　　——绝对圆融之观照境界 ……………… 32
　　（二）"一本"论作为一种极度简单化的生命情调 …… 38
　三、达至"一本"境界之工夫 ……………………… 44
　　（一）体悟——境界的提升、意识的转化 ……… 45
　　（二）渐悟渐修——"诚、敬、慎独"的把持工夫 …… 51

**第三章　程伊川之致知与涵养工夫** ……………… 57
　一、引言——伊川工夫论之一般性格 …………… 57

## 二、伊川格物穷理致知工夫之疑难 …… 59
### （一）"格物穷理致知"的道德实践意义 …… 59
### （二）疏解伊川"格物、致知"工夫的偏差 …… 62
（1）将伊川"格物穷理"工夫类比于近代西方的科学归纳法 …… 62
（2）将朱熹的"格物致知"论套入伊川的理解之中 …… 65
（3）伊川"格物致知"工夫的不同层次 …… 69

## 三、伊川"格物、致知"之现象学与本体学的诠释 …… 73
### （一）通过读圣贤典籍去提升自己的道德生命 …… 73
（1）读书与道德生命的提升：所读何书？ …… 74
（2）对圣贤典籍的再体验：如何读书？ …… 77
### （二）体察历史人物经历以把握为圣之道 …… 80
（1）读史与道德生命的提升 …… 80
（2）对历史的具体解悟 …… 84
### （三）居敬集义——透过待人接物的生活去提升自己的道德生命 …… 87
（1）待人之道与道德生命的提升 …… 90
（2）接物之道与道德生命的提升 …… 96
（3）"敬"作为涵养的工夫 …… 106
### （四）观天地万物气象而感应德性生命之义理 …… 111
（1）观物察己的本体学根据 …… 111
（2）观物察己的工夫 …… 118
（3）再论"闻见之知"与"德性之知" …… 123

# 第四章 视域与观照：二程工夫论之会通 …… 127
## 一、对二程同异的不同立场 …… 128
## 二、二程所铺陈的成圣之道 …… 131
### （一）从二程生平经历看二人之学术关系 …… 131

（二）程伊川的转向 …………………………… 134
　　　　（1）伊川贯通"未发"与"已发"之工夫见解…… 134
　　　　（2）视域与观照：伊川的"修"与"悟" ……… 138
　　（三）修—悟—把持 …………………………… 140
**参考资料选辑** ……………………………………… 142
**索　引** ……………………………………………… 161

# 自　序

　　这一本书是从我 1990 年呈交香港中文大学的博士论文改写而成的。而那一篇论文的写作和完成，亦可以说是标志着我生命一个阶段的结束。

　　1985 年 9 月我开始在中文大学修读中国哲学博士的学位。同一个月，妻子被发现患上绝症，而小女儿亦被证实是先天性智力不健全。在往后的两年之中，我自己一人独力承担起对妻子和两个女儿的照顾责任。其间的沉痛和压力，几次叫我的写作似乎无法再继续了。然而，我始终放不下。直到 1987 年，在不及半年之间，慈父与妻子竟相继离世。在一连串痛不欲生的打击之中，我渐渐发现，那篇论文的信念和写作，原来已成了我对生命仍然执著和追寻的象征。在学问工夫方面，我可能仍有许多缺欠，但在道德生命的追寻上，我却不讳言是真诚和热切的。正是这种对道德生命探索的执著，使我在千般困难和痛苦的日子中，从未一刻想过放弃论文的写作。

　　在那段最艰难的日子，劳思光老师对人生深度的体会和省察，在跟他论学之中常带给我启迪和鼓励。劳老师说话不多，但皆一语中的，发人深省。他的学思是我衷心佩服的。

　　1989 年秋，我离开香港这个自己成长、但带给自己伤痛的地方，移居加拿大。同一段日子，我续弦再娶。贤妻丽芬带来我生命莫大的祝福。她的柔情、体贴和鼓励，叫我有勇气再揭开人生崭新的一页。在加国稍作安顿，我就全力投入写作。多少个力竭思考和挣扎的晚上，丽芬总是陪伴在旁，有时候给我弄点小吃，有时候成为我未成熟论点的惟一听众，有时候替我编录书目……她的支持成了我写作的动力，她的贤德成了我论点的灵感。既然她是原作论文背后的灵魂，也陪伴着它的成长，理应这本书是献给她，我的贤妻丽芬。

**温伟耀**
1995 年圣诞节柳溪冬青果径

# 导　言

中国文化大动脉中的终极关心问题,正如当代大儒牟宗三所言,是"如何成德,如何成就人品的问题"①。而道德修养的工夫,当然就更是中国儒学的精粹所在。

由先秦孔、孟对道德自觉的体悟,发展至宋明儒学的出现,不但建立了博大精深的哲学体系,重要的是,经过魏晋、隋唐道佛两家的刺激,宋明儒对人心负面有了更深刻的认识,就不能再空洞地只谈道德生命的理想,而是要落实在细密的道德修养工夫论上。② 而事实上,自我修养的工夫,如何成为圣人的研究,正是宋明儒学最独特的成就和贡献。③

北宋的程颢(明道)、程颐(伊川)兄弟,突破西汉以后儒学家以宇宙论为主导的意向,重新抓紧涵养省察的自我修养工夫,令孔孟道德"内省"工夫,经历千多年的暗昧

---

①　牟宗三:《中国文化的省察(牟宗三讲演录)》(台北:联合报社,1984),第104页。
②　参见曾昭旭:《道德与道德实践》(台北:汉光文化事业,1985),第184～185页。
③　参见杜维明:《人性与自我修养》(台北:联经,1992),第五章"宋明儒学的'人'的概念";第六章"从宋明儒学的观点看'知行合一'";第七章"内在经验:宋明儒学思想中的创造基础"(第94～150页)。

之后，得以再现。这对中国儒学的复兴和深化，具有不可置疑的贡献。① 在他们之前的北宋儒学家，邵雍(1011～1077)旨在术数之学，在道德工夫论上无大建树。② 周敦颐(1017～1073)与张载(1020～1077)，虽然已自觉地排佛教轻汉儒，"但依客观标准看，则二人尚未完全摆脱汉儒之'宇宙论中心之哲学'之影响，与孔孟之'心性论'，距离尚大"。③ 故二程兄弟才是真正以人文界为主体、道德修养工夫为主导的先驱者。因此，对二程道德修养工夫论的深入研究，不但与二程的思想重心相应，从中国儒学的历史发展角度来说，也是必须的。

冯友兰尝谓："程氏兄弟二人，开一代思想之二大派，亦可谓罕有者矣。"④这里所谓"二大派"当然是指由程伊川下开的南宋儒学家朱熹(1130～1200)的理学，和由程明道下开的宋明儒学家陆(象山 1139～1193)王(阳明 1472～1529)的心学。⑤ 而历史上的所谓"朱陆之争"，世论者皆看得出，绝不只是"性即理"抑"心即理"的形而上学问题，而是在于两人对道德修养工夫的不同体会。⑥ 无

---

① 徐复观："程朱异同"，《中国思想史论集续编》(台北：时报文化，1982)，第575～578页。

② 朱熹编《近思录》，不采邵雍之言。劳思光先生甚至判之为"非儒学"。见劳思光：《中国哲学史》(第三卷上册)(香港：友联，1980)，第182页。

③ 同②，第53页。

④ 冯友兰：《中国哲学史》(上海：商务印书馆，1935)，第875～876页。

⑤ 同④，第869页。

⑥ 参见牟宗三：《从陆象山到刘蕺山》(台北：学生书局，1979)，第二章"象山与朱子之争辩"(第81～212页)。

论双方互判"太简"抑"支离",自述"尊德性"抑"道问学",皆源于道德工夫论之不同。其实朱、陆之异,可以代表两种各具深度但极不相同的道德实践体验。体验不同,引申出的修养工夫自然不同,从而对心、性的解悟亦不同。近代牟宗三写三册的《心体与性体》(1968/69),就更将它们之间的对立性推向另一高峰。然而,这两种对道德实践不同的体验和工夫,是否有沟通对话的机会?笔者认为可以溯本追源于它们的起始点——二程兄弟。盖程氏兄弟虽然有其各自不同的学思发展,但并未因为不同的体验而相互突出他们之间的差异。此中是否有可以相互交汇的契机?这是本书要问的其中一个问题。如果答案是正面的,则二程工夫论的研究,就不单止于古典哲学家的疏解,而是打开自朱陆之争以来不同儒学体验的一个会通新路向。

本书的写作,不单旨在透过将二程兄弟不相同的道德修养工夫论相互对话会通,以化解儒学发展中的派性对立,本书亦尝试运用科际对话(Inter-discipliary Dialogue)及哲学诠释学(Philosophical Hermeneutics)的方法,去整理和消化二程的哲学思想,从而指出中国北宋二程的道德工夫论对现代世界哲学的意义和贡献。以下简列本书各章的重点。

第一章"序论:关于二程的研究",是透过近百年来关于二程研究的历史考察,指出二程的哲学在学术界中,仍未普遍受到应有的重视。大部分有关的论著,只停留在将资料分题综合的阶段,缺乏具哲学深度的诠释。由此而引申出本书的立场,是运用诠释的方法,去透视二程著作背后的道德义理规模,进而作哲学性的消化。

第二章"程明道即'一本'言工夫之义理格局",主要是深入探讨程明道所理解的"一本"境界。一方面,"一本"是一种圆顿的观照境界;另一方面,"一本"亦是一种极度简单化的道德生命境界。就工夫论来说,这种境界性的跃升和体悟,亦仍然需要有"闲邪"与"减"(简约)的操练和诚、敬、慎独的悟后把持工夫。

第三章"程伊川之致知与涵养工夫",是借助程伊川对"格物致知"工夫的体会和讲论,运用哲学诠释学整理出一套较全面地由"闻见之知"转化出"德性之知"的道德工夫。伊川的格物穷理之学,有四方面不同的进路:即读圣贤典籍、体察历史人物、日常生活中的待人接物及观天地万物气象。而每种进路,都提供了道德生命转化的契机。借助自决的意志把持力("敬")和工夫实践操练的历程,这四方面"闻见之知"的起始点和契机,就可以成就道德生命的提升,转化出"德性之知"的体会。

第四章"视域与观照:二程工夫论之会通",则尝试将程明道和程伊川个别在道德工夫方面的独特见解,放在一起对话和会通。二程兄弟虽然有气质上和体会上的不同,但对于"修—悟—把持"三元相依的义理格局,则并不相悖。令他们在道德工夫论相异的核心问题,是二人对"觉悟"的不同体认。程明道的工夫论,是从圆顿的观照境界入,重点是简约原则和极度简单化的生命情调。而程伊川的工夫论,则从致知和涵养入,重点是透过集义存诚，而体悟内在道德生命的提升。虽然二人在体会上有异，但程氏兄弟对宋明儒学的影响和道德工夫论方面的贡献，则无可置疑。

# 凡　例

1. 本书引用二程著作，按照以下缩写方式标注：
《遗书》=《河南程氏遗书》，编入《二程全书》
《外书》=《河南程氏外书》，编入《二程全书》
《粹言》=《河南程氏粹言》，编入《二程全书》
《明道学案》=黄宗羲《宋元学案》中之《明道学案》
《伊川学案》=黄宗羲《宋元学案》中之《伊川学案》
《识仁篇》=载《遗书》卷二上。《明道学案》别标之为《识仁篇》
《定性书》=程明道"答横渠张子厚先生书"，编入《二程全书》《河南程氏文集》卷二（明道先生文二）

2. 文中引用二程著作时之强调号，除特别注明以外，皆笔者所加。

3. 当代学人在正文引用时，男性概称"先生"，女性概称"女士"。已故学人则概不加尊称。

4. 本论文较常引用之西方哲学词汇作如下的翻译：
cognition 译作认知；
understanding 译作理解；
interpretation 译作解释；

hermeneutics 译作诠释；
Being 译作存有；
essence 译作本质；
existence 译作存在；
Dasein 译作人的在此存在；
existential 译作实存(的)；
subjectivity 译作主体性；
subjective agent 译作主体；
ontology 译作本体学(论)；
phenomenology 译作现象学。

# 第一章　序论：关于二程的研究

　　北宋儒学家程颢(1032～1085)、程颐(1033～1107)兄弟，世合称"二程"。大程子程颢，字泊淳，称明道先生。二程子程颐，字正叔，称伊川先生。二程与周敦颐(濂溪，1017～1073)、张载(横渠，1020～1077)等皆北宋儒学的奠基和开创者。二程兄弟一生除出任地方及中央官职之外，主要是在河南洛阳讲学授徒，自成学派，后世称"洛学"。①

　　二程的哲学思想及讲论，由门人记录为语录，编集成书，再加上二人所写文章、书简的结集，在宋代已分别单独刊行的，包括《河南程氏遗书》、《河南程氏外书》、《河南程氏文集》、《周易程氏传》(程伊川所著)、《河南程氏经说》及《河南程氏粹言》等六种，明代以后加上《遗文》及附录等合并而成《二程全书》。《二程全书》刻本以清代同治十年(1871)涂宗瀛校订的刻本较佳。② 1981年北京中华书局"理学丛书"出版由王孝鱼点校之《二程集》(全四册)，是二程全部著作的汇集。

---

　　①　"洛学"的详细历史发展，可参见徐远和：《洛学源流》(济南：齐鲁书社，1987)。关于二程兄弟生平年谱，见卢连章：《二程学谱》(郑州：中州古籍出版社，1988)，第1～50页；管道中：《二程研究》(上海：中华书局，1937)第三编"二程年谱"(第219～346页)；庞万里：《二程哲学体系》(北京：航空航天大学出版社，1992)，第12～30页。
　　②　参见刘建国：《中国哲学史史料学概要》(上)(长春：吉林人民出版社，1981)，第456～462页，"程颢、程颐的思想史料"。

# 一、近百年来二程思想研究的发展

二程的哲学思想虽然对宋明儒学有极深远的影响,但在学术研究方面一直并未受到应有的重视。其中原因可能是因为南宋朱熹继承二程(主要是程伊川)而开展其理学体系,世多以"程朱"学派并称。由于朱熹作品的浩瀚和被纳入官学而成为主流正统,其光芒将二程盖过。论者就倾向把二程思想只视为一种过渡的阶段,而以为朱熹的理学系统足可以取代他们的贡献。故近百年来,对二程思想作独立研究的并不太多。大部分的论述,只限于在一般中国哲学史关于北宋理学开始时期的讨论中简略提及。这种对二程思想普遍忽略的情况,是非常可惜的。以下就时期先后,将近百年来对二程研究的著作加以整理,勾画出其发展的大势,①以引进本书之研究立场、方法论及可以贡献的地方。

综观近百年来的二程研究,大致可以划分为四个阶段:抗日战争以前是一个阶段;由 20 世纪 30 年代后期至牟宗三《心体与性体》第二册(1968)是第二个阶段;由牟宗三论二程至 1981 年祖国大陆出版《二程集》是第三个阶段;20 世纪 80 年代至今是第四个阶段。至于此各阶段之发展概要,就是以下各分节的课题。

## (一)抗日战争以前的二程研究

自经过五四运动(1919)之后,国人对传统中国哲学的研究和态度,跟清代或以前都有了不同的立场。加上留学西方的中国学者带回了西方的哲学和哲学史训练,宋明儒学的研究(二程包括在

---

① 本节只触及其中部分较有独特价值的著作。较全面的论二程资料编录,可参看本书所附"参考资料选辑"中的"二、近百年来直接论二程的主要著作"的完整书目。又由于本节所涉及的论者大多为尚存的当代学者,为免行文累赘,正文及注释中人名一概不加称号。此中并无任何不敬之意。

# 第一章 序论:关于二程的研究

内)遂进入一个新的阶段。

就二程的研究来说,20 世纪 30 年代初冯友兰的《中国哲学史》算是最早而较有系统和深入的研究。① 冯著的特色和贡献,不但在于用较详细的篇章处理二程,而且一直用比较的手法把明道和伊川的思想归入不同的范畴中去陈述。其要旨是指出二人不仅不能随便视作同一家之言,而且看出"二人之学,开此后宋明道学中所谓程朱陆王之二派,亦可称为理学心学之二派。程伊川为程朱,即理学一派之先驱,而程明道则陆王,即心学一派之先驱也。"②除此之外,冯著亦尝试用西方哲学的角度去理解,例如用希腊柏拉图的理形观去诠释二程之"理"。无论冯友兰的努力是否成功,他能看出"(程氏)兄弟二人,开一代思想之二大派,亦可谓罕有者矣",③其本身的著作亦可算一划时代的作品。

与冯友兰同时期的其他二程研究,亦有独特的成就。首先,何炳松在 1928 年已提出"程朱辨异"的见解。④ 至 1932 年出版其《浙东学派溯源》,极力将程伊川的哲学地位从"朱子学"的阴影中分别出来,反对程、朱二人同属一派的说法。如此一来,何炳松将伊川的地位提到极高,并认为南宋以后并非只有程朱和陆王两派,

---

① 虽然冯著于 1935 年由上海商务印书馆印行,然按周世辅:"六十年来之中国哲学思想",《哲学论文集》(第四辑)(中国哲学会编)(台北:商务印书馆,1973),第 194 页载,冯友兰于 1931 年 6 月已完成其《哲学史》第二篇(即包括二程在内)。虽然冯友兰以前也有零碎的有关二程哲学著作,如谢无量:《中国哲学史》(上海:中华书局,1916)及贾丰臻:《宋学》(上海:商务印书馆,1929)等,但皆简单而无独特贡献。

② 冯友兰:《中国哲学史》(上海:商务印书馆,1935),第 869 页。

③ 冯友兰:《中国哲学史》(上海:商务印书馆,1935),第 875~876 页。

④ 见何炳松:《浙东学派溯源》(上海:商务印书馆,1932),"自序",第 1 页。何炳松亦于《东方杂志》第廿七卷连载发表"程朱辨异"一篇长文,1971 年由香港崇文书店抽印出版。

而是有三个系统:"由佛家思想脱胎出来的陆九渊一派心学,由道家思想脱胎出来的朱熹一派道学,和承继儒家正宗思想而转入史学研究的程颐一派。"①

另一贡献深远的作品,是姚名达在1936年由上海商务印书馆出版的《程伊川年谱》。这本厚达300页的年谱,将伊川生平有关的资料旁征博引地按年份编集起来,其中亦包括程明道的生平资料。按其自序云,其著书之意起于1928年与何炳松论学,加上当时有《中国史学全书》的计划,遂着手编写程伊川之生平及哲学思想年谱,直至洛学主要门人去世之年代为止。② 姚著至今仍是最详尽之二程生平资料。

另一划时代的作品,就是管道中在1931年由上海商务印书馆出版的《二程研究》。③ 此书可算是二程研究的第一本专书(全书长358页)。按其"自序"中谓"宋学"自清以来,已少有顾及,"迩来坊间虽见一二专治宋学之作;然皆汎论纲要,绝少精详。夫宋儒之学,以二程为祖,苟从兹加以整理,其他自可迎刃而解。故余特先成是书。"④其著先将二程作性情及治学方法上的比较,然后就"修为方法"、"道体论"、"心性情欲"、"伦理思想"、"政治思想"等共八个题目分述比较二程的思想。管道中此作,虽然仍停留在只是将

---

① 何炳松:《浙东学派溯源》(上海:商务印书馆,1932),"自序",第6页。

② 姚名达:《程伊川年谱》(上海:商务印书馆,1936),"小序"。

③ 据刘建国:《中哲史料概要》(上),第457页。笔者所存的是1937年上海中华书局版。

④ 管道中:《二程研究》(上海:中华中局,1937),"自序"。严格来说,唐文治在1923年著《二程子大义》是近百年来第一本专著。但唐著内容方式,皆与清代道统旧说无异。参见卢连章:《二程学谱》,第96页。

有关资料汇编而成书的方式,但亦已是无前例的专著。① 更令人惊异的是,此书的出版,竟是其后半个世纪之久,惟一国人所著的二程专书。不能不令人慨叹。

**(二) 由抗战至 20 世纪 60 年代的二程研究**

纵观这 30 年间,国人对二程的研究,并无突破性的发展。对比起 20 世纪 30 年代的五六年间连续出版的几本专著,这时期更显得暗淡。但是在国外,反而出现了两本别具深度的外文二程专著。此即英人葛瑞汉(A. C. Graham)于 1953 年在英国伦敦大学完成之博士论文,1964 年在英国修订出版的《两位中国哲学家:程明道与程伊川》;②及日人市川安司于 1964 年由东京大学出版会出版的《程伊川哲学の研究》。③

葛瑞汉述其写作的缘起,是"在西文的作品中,从未出版过一本关于程明道及程伊川兄弟全面详尽的研究。但二程兄弟其实可足称为宋代最具创作性的哲学家。"④葛著的写作方式,是将伊川和明道分作两大部分,每部再分章处理其中的哲学范畴。例如伊川的部分处理为"理"、"命"、"气"、"性"、"心"、"诚敬"、"格物"等;明道的部分则处理为"仁"、"易"、"神"、"善恶"等。故此,基本上葛著亦是将二程重要的语录翻译成英文,归类整理而成,说不上对二程

---

① 管道中在其书中尽力客观地在资料上整理,并无提出自己或具哲理性的诠释,也尽力对二程两人公允地处理。只是偶尔显示出他视伊川稍高。例如见上书,第 60 页:"宋学之所以能发扬光大,则以伊川之功为多。盖明道之学,既以内心为主,言论又多浑沦,著述又罕臣帙;当时从学者,恐亦未尝深得其传;倘无伊川之继起,则明道之学,必将与濂溪康节近似。"

② A. C. Graham, Two Chinese Philosophers: Ch'êng Ming-tao and Ch'êng Yi-ch'uan(London:Lund Humphries,1958). 全书共 195 页。

③ 市川安司:《程伊川哲学の研究》(东京:东京大学出版会,1964),全书共 445 页。

④ Graham, Two Chinese Philosophers, 'Preface', p. ix.

之间的哲思有所会通或体系性的消化。① 但作为第一本西文论二程的专著,其学术态度之严谨、考据及资料的详尽,亦足以叫国人借镜。

市川安司的《程伊川哲学の研究》虽然并非日本近代学者研究二程的首本作品,②但市川安司之作,无论在深度和量方面,都令人佩服,被视为二程研究之经典而无愧。市川在其书的"序"中表示,日本学者一直以来极重视朱子学的研究,以致总是透过对朱熹的理解去看伊川,并将"理气二元论"作为理解伊川的基本假设,从而产生对伊川不全面的理解。故此,他著书的目的,是"将伊川的哲学从〔朱熹〕晦庵的哲学分别出来,致力于探求其本来面貌。"③ 在其书中,市川主要是详细剖析伊川对"理"的观念,包括"理"的不同表现、"理"的根本性格、实践过程所显示的"理"及"理"的终极意义等。本书有力地否定了认为伊川是"理气二元论"的见解,而认为"理"是透过"对"(天地之间皆有对)而展开、呈现和活动。④

相比之下,这段时期国人对二程的研究则较为失色,一般仍旧是放入中国哲学史的其中一章笼统地去处理,并无任何突破性的成就。其中稍值得一提的,是程兆熊在20世纪40年代中期所写《大地人物——理学人物之生活的体认》中,用文学的笔法勾画出

---

① 除其中论"一元论及二元论"一章(同上书,第119~126页),葛瑞汉认为伊川属"理气二元论"而明道则倾向"一元论"。

② 根据 Graham 所录书目(同上书,第 180 页),曾有日人 Gotō Toshimizu 于 1935 年出版《二程子の实践哲学》(笔者未有机会获阅该书)。

③ 市川安司:《程伊川哲学の研究》,第 2 页。

④ 同③,第 197~238 页。

明道与伊川不同的气质和道德生命体验。① 另外,国人蔡永淳于1950年在美国哥伦比亚大学完成其博士论文"程颐的哲学:全集选辑编译并序及注"。② 此著实早于葛瑞汉之论文,但并无出版。事实上其论点亦无甚突破之处。50年代后期,唐君毅著作《中国哲学原论》之"导论篇"及"原性篇",也包括了明道及伊川对天道及性的陈述。③ 唐君毅虽然是一代儒学宗师,但就其《原论》中论二程之部分来说,亦无甚创见之处。另外值得一提的,是陈荣捷在1967年将朱熹编的《近思录》翻成英文出版,西方学者遂有机会读到其中许多记述二程的语录。④ 以后加上著名学者狄百瑞(William Theodore de Bary)等的努力推动,宋明儒学开始在西方引起注意。

**(三)牟宗三的《心体与性体》及其影响**

牟宗三于1968及1969年相继完成其《心体与性体》三册,二程研究遂进入一个新阶段。《心体与性体》一反过去以朱子学为儒

---

① 见程兆熊:"程明道的'坐如泥塑人'"及"程伊川的'不啜茶,亦不识画'",《大地人物——理学人物之生活的体认》,第45~68页;合编于《完人的生活与风姿》(台北:大林,1978再版)。根据其中《一个人的完成》重印前言及《大地人物》前言所述,关于二程的部分,当大约完成于20世纪40年代中期。

② Y. C. Ts'ai, 'The Philosophy of Ch'eng I: A Selection of Texts from the complete Works Edited and Translated with Introduction and Notes' (Ph. D. dissertation, Columbia University, 1950)。"蔡永淳"为'Ts'ai Yung-ch'un'之音译,可能有误。

③ 见唐君毅:《中国哲学原论》(导论篇)(香港:新亚研究所,1974版),第425~432,589~594页;《中国哲学原论》(原性篇)(香港:新亚研究所,1974版),第336~357页。

④ Reflections on Things at Hand: The Neo-Confucian Anthology, translated by Wing-tsit Chan(New York: Columbia University Press, 1967)。

家正统的看法,力陈朱熹的哲学只是"继别为宗",并非承接先秦儒家孟子学的"纵贯系统",而是将心、性二分,变成"静涵静摄"的"横摄系统"。从而朱熹对道德生命的体会是"支离"的,而非先秦儒学正统的"逆觉体证"的路。① 既然牟宗三视朱熹的哲学是儒家传统的"歧出",追溯其起始点,就归结到伊川的哲思是"转向"的开始。如此一来,伊川的地位和价值亦受贬抑,反而明道则被赞扬为"真相应先秦儒家之呼应而直下通而为一之者"。②

牟宗三的见解,实为理解宋明儒学的划时代观点,其影响亦极为深远。自此以后,程明道的地位大大被提高。而牟宗三对宋明儒的分判,亦被一些论者视为"极其妥恰而不可易的"。③ 最明显的例子是蔡仁厚在 1977 及 1980 年出版的《宋明理学》"北宋篇"和"南宋篇",其对二程的观点及评价,与牟宗三的见解绝对相同。另一例子是张德麟所著的《程明道思想研究》,亦明言是"顺着牟师宗三的思路,广搜资料,详加分疏,以期对明道学之研究更能普及与专精"。④

虽然牟宗三之说发表之后,已俨然成为权威性的观点。但同期的儒学家中,并非无异议。在他们对二程或朱子学的著作中,虽无正面反对牟说,但从其持不同的见解,就可见他们并不服膺牟宗三之抑伊川扬明道的立场。这些学者包括钱穆于 20 世纪 70 年代

---

① 见牟宗三:《心体与性体》(三册)(台北:正中书局,1968,1969),第一册,第 19~113 页;第三册,第 229~516 页。

② 同①,第一册,第 44 页;详论见同①,第二册,第 1~427 页。关于牟宗三以朱子学去解程伊川,及对明道伊川地位分判的讨论及质疑,见本书下文第三章(第 83~88 页)及第四章(164~165 页)。

③ 蔡仁厚:《宋明理学》(南宋篇)(台北:学生,1980),第 9 页。蔡仁厚:《宋明理学》(北宋篇)(台北:学生,1977)论二程部分(第 206~447 页)显示其彻底紧随牟宗三观点与立场。

④ 张德麟:《程明道思想研究》(台北:学生,1986),"自序",第 1 页。

初完成的《朱子新学案》(共五册),①书中一再确定朱熹的儒学地位和价值。唐君毅在其1975年出版之《中国哲学原论》(原教篇)中,亦努力将二程作相同地位的处理,对二人并无如牟宗三之分判和褒贬。②

劳思光于1980年出版其《中国哲学史》第三卷,就明显地不赞同牟宗三对宋明儒分三系的说法,③而提出"一系说"。④ 他的"一系说"是视宋明儒学为一整体,"其基本方向是归向孔孟之心性论,而排斥汉儒及佛教";北宋周濂溪与张横渠为第一阶段(初期理论),以"混合形上学及宇宙论以建构其哲学系统"。⑤ 由二程开始进入第二阶段(中期理论),开始摆脱"初期理论"以宇宙论为中心的哲学,确立"性即理"之道德形上学。此见解亦引申至南宋朱熹之哲学系统,代表诸家学说之综合。第三阶段(后期理论)则以南宋陆象山的"心即理"开始,全面肯定道德的"主体性",建立以心性论为中心的哲学。明代王阳明继承此方向而完成宋明儒归向孔孟之儒学运动。⑥ 劳思光"一系说"的重要贡献是看出二程在整个宋明儒学运动中占有关键性的地位,以其"本性论"为中心的形上学开创一新阶段(中期理论)的儒学。这种见解确立了二程哲学的独特重要性。

---

① 见钱穆:《朱子新学案》(五册)(台北:三民,1971)。其中第三册,第48~159页借朱熹对二程的陈述,表示其见解并非贬伊川扬明道。
② 见唐君毅:《中国哲学原论》(原教篇)(香港:新亚研究所,1975),第119~201页。
③ 见牟宗三:《心体与性体》(一),第42~60页。牟宗三之"三系说"及笔者对其评述,见本书第四章(第129~130页)。
④ 见劳思光:《中国哲学史》(卷三上)(香港:友联,1980),第46~68页。
⑤ 同④,第53,55页。
⑥ 同④,第53~55页。

另一方面,劳思光认为程明道是偏重"天道观",反而与前期理论的周、张二子之"宇宙论"倾向接近,而非如牟宗三所言是下开儒学正宗的先驱。而伊川之学,才是真正转入道德"本性论"的创见者。① 如此一来,伊川的重要性重新被确立。故劳思光言:"二程之学不同,学者多能言之。然自宋至清——甚至现代,论二程之学者多抑伊川而扬明道;此固由于立论时所取设准不同,实亦是一种极欠坚稳之观点。盖明道之近于"天道观",可视作其学说之长处,亦可视为其缺点;未易遽作定论。"②劳著的另一洞见,是看出"成德成圣之用"才是伊川哲学重点所在。故单以伊川之形上学系统去断定其哲学之价值,是不公允的。因为伊川"不是以建构一纯粹理论系统为旨趣",盖"工夫理论可直接落在实践生活中,重要性亦不下于其所依之形上学理论。"是故劳著"对伊川论工夫之语特加注意"③。

**(四) 20 世纪 80 年代以后二程研究的发展**

20 世纪 80 年代初期,祖国大陆随着政治气候的放松,国内学者恢复了对中国传统哲学的研究和写作。④ 北京中华书局出版"理学丛书",将宋明理学家的著作重新点校,作为保存民族哲学遗产的一部分。1981 年 7 月出版由王孝鱼点校的《二程集》,以清涂

---

① 劳思光:《中国哲学史》(卷三上)(香港:友联,1980),第 224 页。
② 同①,第 284 页。
③ 同②。
④ 祖国大陆 1949 年建国以后,二程的研究非常贫弱。按刘建国:《中国哲学史史料概要》(下),第 921 页及卢连章:《二程学谱》,第 102~108 页所录,由 1949~1980 年,有关二程的研究专著只发表过两篇学术性文章(不包括"四人帮"时期纯属谩骂性的文章在内),是杨向奎"论程颢",《学术月刊》第 8 期(1962)和冯友兰:"程颢、程颐",《哲学研究》第 10,11 期(1980)。文革期间,更令一切中国传统哲学研究陷于停顿。至 70 年代末期,随着"四个现代化"改革在教育上的放松,中国哲学研究才渐渐复苏。

宗瀛刻本为底本,参考其他明、清的刻本,将二程全部的著作汇集成四册出版。《二程集》的出版,为国内二程研究立下基础。

祖国大陆学者张立文于1982年完成其《宋明理学研究》(1985年出版),而侯外庐等编的《宋明理学史》(上卷)亦于1983年完成,此皆表示国内学术界对宋明儒学的重新重视。而此二书对二程论述的部分,亦显得较深入和详尽。① 张著比较深入和客观,分述二程的不同理学观念(例如"理"、"气"、"物"等)和政治伦理思想,虽然仍旧是将主要有关资料辑在一起而成篇章,但条理也算清楚,表现出学术研究的新气象。侯著则较贫乏,只笼统地泛论"天理"、"格物致知"及"人生哲学和人性论"等几方面。此书最大的弱点,是一口咬定二程的思想是为封建的政治制度服务。在这种历史唯物论的假设下,侯著不断对二程各方面的思想作意识形态的批判,反而不能够整理出一个客观的条理来。

1986年开始,国内外在二程学上都有较新的进展。先述祖国大陆方面。刘象彬于1986年完成其《二程理学基本范畴研究》(1987年出版)。② 此书较详细地就十多个二程哲学的基本范畴,引述文献去整理出梗概,条理亦算清楚和客观,是不过不失之作。从历史的角度来说,此书竟是自1931年管道中的《二程研究》以来,国人要相隔五十多年后才重新有出现二程研究的首本专书。二程学之被忽略,由此可见。刘著的次年,潘富恩与徐余庆亦完成其《程颢程颐理学思想研究》(1988年出版)。③ 此书在资料上比

---

① 见张立文:《宋明理学研究》(北京:中国人民大学出版社,1985),第259～374页。侯外庐等编:《宋明理学史》(上卷)(北京:人民出版社,1984),第127～180页。

② 刘象彬:《二程理学基本范畴研究》(开封:河南大学出版社,1987),全书共242页。

③ 潘富恩,徐余庆:《程颢程颐理学思想研究》(上海:复旦大学出版社,1988),全书共462页。

刘著更详细,但对二程哲学的论述却反不及前书。主要是作者用了一半以上的篇幅去整理二程的经济、政治和教育思想,对二程心性哲学方面只有一般常识性的陈述,分散而无完整系统,更称不上有哲学角度的探索。而且此书亦与其他国内论著犯同样的毛病,就是不断用批判封建统治集团思想的角度去看二程。行文之间,不但不能客观,而且颇多无据亦无谓的价值判断语,令此书的学术价值大打折扣。同年,另一学者徐远和亦完成其《洛学源流》,①以哲学史的角度研究二程的哲学、其门人及直至宋末"洛学"的主要代表人物。徐著在资料和题材的选取方面,都较严谨和准确。该书前半的篇章,是处理二程的哲学,紧扣他们的理、知行、人性等核心观念作研究,可见徐著在取材上的成熟。其中最后一节论"二程的圣人观",是前人未有做过的工夫,更是难得之作。第四本要提及的二程专著,是属于资料性的《二程学谱》(卢连章著)。②卢著是用编年的方式,将二程的生平和学术思想详列出来。其独特之处,是由于卢连章认为"二程生时并不得志",但他们死后却"被抬高到正统思想的地位"。因此,从思想发展史的观点看,二程生前和死后的学术研究发展,是同样重要。故卢著《二程学谱》并不止于伊川的逝世(1107年),而是继续以编年方式记载以后二程学的发展,直至1987年卢著完稿之时。由是卢著《二程学谱》最大的贡献,在于搜集历史上关于二程学研究的发展资料,具有一定的参考价值。

综观祖国大陆自1986年始,三年内连续出版四本关于二程研究的专著。虽然论点方面仍困于"唯心""唯物"的框框,或是对封建意识形态批判的角度,无论如何亦算开始一番新气象。

1986年以来,台湾方面亦出现了三本论二程的专书。李日章

---

① 徐远和:《洛学源流》(济南:齐鲁书社,1987),全书共384页。
② 卢连章:《二程学谱》(郑州:中州古籍出版社,1988),全书共200页。

应"世界哲学家丛书"邀请,于 1986 年完成其《程颢·程颐》一书。① 从学术的角度来看,李著是颇令人失望的。该书论点松散,亦缺乏严谨哲学架构的诠释。更令人费解的,是李日章身居学术自由的环境,写作一本二程的专著而差不多完全无考虑其他学人(如牟宗三)的观点作参考,而只将部分原始资料用少量文字串连起来,实在未能到达论哲学家专书的水平。同年,张德麟亦出版其《程明道思想研究》。② 与李著相反,张著有极明显的格套。其观点跟牟宗三的《心体与性体》是彻底相同的,甚至在用词和行文风格上亦紧随牟著,只是另外补进一些生平资料而成书。本来紧随一代宗师而稍加发挥,并不为过。然而,此书写于牟著发表后二十年之久,却没有加上一点有分量的个人创见和研究成果,未免叫人惋惜。第三本二程专著是 1988 年张永儁出版的《二程学管见》。③ 基本上这本书是张永儁历年来发表文章的汇集,并非一本系统性的作品。直接论二程的,只是起头两章半,其余写二程后学的流派问题。张著的特点,是考察二程思想(尤其是明道)有多少道家庄子的成分,及二程与佛学之间的关系。就题材来说,张著有其独特之处。然就内容上说,只涉及了明道的《定性书》和二程的"辟佛"问题而已,无论如何也算不上是二程研究的系统专著。

综观 20 世纪 80 年代以来,可喜的现象是国内外已有论二程的专著出现。可惜的是几本现存的专著,不是失诸哲学深度,就是未够创见和特殊的贡献。二程学的研究,似乎尚待开发。

进入 20 世纪 90 年代,祖国大陆和台湾都出现了高学术水平的二程研究。在祖国大陆,庞万里将他在北京大学的博士论文改

---

① 李日章:《程颢·程颐》(台北:东大图书公司,1986),全书共 204 页。
② 张德麟:《程明道思想研究》(台北:学生书局,1986),全书共 203 页。
③ 张永儁:《二程学管见》(台北:东大图书公司,1988),全书共 337 页。

写出版,名为《二程哲学体系》(1992年)。① 在台湾,则有钟彩钧在台湾大学1990年完成博士论文《二程圣人之学研究》,在《中央研究院中国文哲研究集刊》分部发表。②

庞万里的《二程哲学体系》,是全面、深入而详尽的研究作品。由于庞著致力将明道及伊川二人的思想异同作全面的整理,因此对《遗书》第一至九卷的"二先生语",每段作仔细的考辨,审订何为明道语、何为伊川语。③ 这方面的工夫,比较以往这方面尝试的作品,更为严格和准确。在课题方面,庞著就"道体"、"形而上与形而下"、"致知"、"人性"、"道德"、"工夫"、"人生观和人生理想"等八个范畴,按二程兄弟之间的异同,详细分析整理,将其中的义理系统铺陈出来。综观全书的全面性和资料的详尽,可算是二程研究的百科全书式作品。可惜,庞著除了将二程作品分别重组、比较这些深细工夫的成就,在哲学思考的线索和辨解方面,却显得较贫乏,重资料的整理而少哲学问题的探索。

比较起来,钟彩钧的二程研究就更具哲学性。他采用"发展的观点"④看二程兄弟对各别哲学问题(例如心、性的体验、对持教工夫的取向)的挣扎和思考进程,从而判定明道的本体论是"内在生机论",而伊川的则是"内在又超越的静定本体"等独特的见解。⑤由是明道的修养工夫从这动态的本体论出发,逐步纯化而趋近圣

---

① 庞万里:《二程哲学体系》(北京:航空航天大学出版社,1992年),全书共431页。
② 钟彩钧:"二程心性说析论",《中央研究院中国文哲研究集刊》第一期(1991):413～419;"二程本体论要旨探究——从自然论向目的论的展开",同上第二期(1992):385～422;"二程道德论与工夫论述要",同上第四期(1994):1～36。
③ 同①,第341～414页。
④ 同②,"二程心性说",《中研集刊》1:413。
⑤ 同②,"二程本体论",《中研集刊》2:385～420。

人境界。伊川的修养工夫则不同,是从静态的本体论出发,以敬及穷理达到与理为一的契合。① 钟著显然非常重视牟宗三对二程的见解,然而却不停留在牟著的观点,而是顺着其中所蕴涵的哲学问题作进解。这是钟著胜于前人之处。

庞著与钟著的共通之处,就是都尽量公允地对待程氏兄弟二人,摆脱传统的派性之见。这是可喜的现象。显示二程研究进入20世纪90年代,在质(论点的精密)和量(资料全面的整理)方面,都趋向成熟。

## 二、二程研究的核心问题及本书的哲学立场

从上节的历史考察,可以看见一直以来,二程的研究并未充分受到应有的重视。大部分论者关于二程的论述,都是独立进行,极少参考其他人所提出过的观点。② 只是牟宗三的见解发表之后,部分学者就一脉相承地沿袭他的观点著书,俨然成了惟一能被接受的权威。

对于二程之间的同异、轻重及会通问题,论者大概有四种不同的立场:③第一是将二程笼统放入同一套哲学体系中不分别地处理。第二是视程明道与程伊川为两个似乎毫不相干的哲学家去处理。第三是将二程思想作平行对比而指出其异同。第四是抑伊川扬明道而将二人的哲学对立起来。笔者认为这四种立场皆有其缺欠之处。我们需要的二程研究,是把他们两人的独特见解和体会仔细厘清,然后引进他们之间的对话,将不同的洞见融会贯通起

---

① 钟彩钧:"二程道德工夫论",《中研集刊》4:1～33。
② 除了少部分论文性的写作和部分日本学者的著作之外。
③ 这些立场之代表者及其论之可取性,本书第四章(第128～129页)有更详细的交待。

来，铺陈出更全面和完整的哲学体系。① 本书的努力，正是就道德修养工夫为题，在这方向上作点尝试。

直至现今，二程研究的专书，除牟宗三及市川安司的作品是称得上具"哲学性"的诠释外，其他大部分的作品只能属于汇纂式的资料整理而已，未能算得上是有创见的哲学著作。这里牵涉到方法论的问题。大部分二程留下给我们的思想资料，都是以语录的方式记录的。面对这些零碎片段的语录，将题材相近的辑录一起、分类并不困难。但要进一步透过这些片语整理出其背后的思路系统和规模，就需要很大的工夫。由于二程只留给我们零碎而不相互在意义上涵接的语录，要建构出一条意义完整的思路，就必然不能单停留在二程自己的用词、概念和语句，而须要运用二程自己不一定自觉、甚至未想及的哲学概念和方法。当然这会引起诠释是否绝对客观的问题。

笔者本人及本书所持的理解方法论是"诠释学"（Hermeneutics）。② 从诠释学的立场来说，每当人作为一主体面对一份文献（text）而尝试去理解和诠释的时候，他所面对的并非只是纯粹外在客观世界的一件存在物而已。每份文献的背后都有一份生命体验（Erlebnis），而文献就是这人类心灵所展开的世界（geistige Welt）和这生命体验外在化的呈现（Erlebnisausdrücke）③。故此诠释者与文献的相遇，并非只是主体与无意识存在物的相遇（I—it encounter），而是主体心灵（诠释者）与另一主体心灵（文献的原作

---

① 20世纪90年代的庞著与钟著，基本上已朝这方向写作。

② 关于"诠释学"的观点与立场，见 R. E. Palmer, Hermeneutics(Evanston: Northwestern University Press, 1969)，尤其是第 221~253 页所列举的宣言。

③ 参见本书第 63 页注④，第 64 页注①。

者)之间"视域的融摄"(fusion of horizons)。① 在两个心灵世界的相遇过程中,有两个事实是不可能避免的。其一是诠释者"前理解"的先见(fore-understanding)在诠释的过程中是不可避免的。诠释者自身的历史、文化和传统,透过所发出的问题和所着重的诠释角度,必然地渗入他对文献的理解之中。所谓"文献自身纯粹的观点",并无一绝对的意义,因为诠释是不可能从一种空白而纯粹客观的精神状态开始。② 若然如此,另一个事实,就是传统诠释方法论中将理解(understanding)、解释(interpretation)和应用(application)三分的观点并不成立。因为"理解的过程自身已是一种解释,故此,解释就只是理解的外在呈现而已。"③伽达默(Gadamer)借助对亚理士多德关于科技知识(technical knowledge)与道德知识(moral knowledge)之间界分的研究,指出在道德知识的探索和理解历程中,理解与应用根本不可能明显地分切开来而成为两个阶段。④ 在道德知识领域的诠释,是主体以自己的生命体验与文献背后的心灵世界相应,文献的启迪与主体道德生命的应用相互结成一不可分的整体,无所谓先客观分析文献的普遍意义(pre-given universal)、然后才主观地具体应用(particular situation)的次序分别。⑤ 当然,这种对诠释的立场,不同意的论者仍可提出其中的主观性是否合法(legitimate prejudice)的质疑。但正如任何

---

① 参见 H. G. Gadamer, Truth and Method (New York: Crossroad, 1989), pp. 300~307。

② 同①,第 265~271,291~307 页。参见 G. Warnke, Gadamer: Hermeneutics, Tradition and Reason(Stanford: Stanford University Press, 1987), pp. 75~82;亦参见殷鼎:《理解的命运》(北京:三联书店,1988),第 253~264 页。

③ Gadamer, Truth and Method, p. 307。

④ 同③,第 312~324 页。

⑤ 同③,第 324 页。

一种方法论,它都可以引起不同立场的质疑,然亦自有学者代为答辩。① 其中详细的辩解,已越出本书范围。

本书运用"诠释学"的立场,特别是由于本书是关于中国哲学中道德修养工夫的研究。一方面,道德修养的工夫必然地连起主体生命的体验,故主体在理解过程中的主观参与性一定较其他题材为高。另一方面,宋明儒学者自己对诠释经籍的立场和方法,也是视文献为提升自我道德生命体验的一种指点和启迪,诠释的目的并非旨在抽出文献原作者的本意而已,而是将自己的体验结合在诠释的历程之中,结果就是透过对典籍的诠释去把捉更丰富的道德生命体验。② 程伊川自己就持这立场和见解。他在《遗书》卷廿五说:

> 学也者,使人求于内也。不求于内而求于外,非圣人之学。何谓不求于内而求于外?以文为主者是也。学也者,使人求于本也。不求于本而求于末,非圣人之学也。何谓不求于本而求于末?考详略,采同异者是也。是二者皆无益于身,君子弗学。

既然如此,本书亦尝试运用现代的或西方的哲学观点,去剖析和连接起二程语录背后的哲学脉络,从而整理出其中的义理规模。要借用现代的哲学方法,是因为中西哲学经过近千年的探索和发展,虽然未能全面地解决人生问题,但对于人及其生命活动,都获得了较仔细精密的剖析,在哲学词汇的意义和运用上,也较以前为

---

① 参见 Warnke, Gadamer 及 Palmer, Hermeneutics 两书的论述。P. Ricoeur, 'The Model of the Text: Meaningful Action Considered as a Text,' Social Research 38(1971):529~562 有极佳而公正的讨论。

② 关于中国儒学哲学方法论及诠释学,见 T. Leung, 'The Fang-fa (Method) and Fang-fa-lun (Methodology) in Confucian Philosophy' (Ph. D. dissertation, University of Hawaii, 1986)。

## 第一章 序论:关于二程的研究

准确。我们借用这些成果作工具,去整理和消化二程的道德哲学体验,不但可以勾画出较完整和清晰的图画,也可以将他们的思想贡献放在现代世界哲学的观点和评价之中。对于明道,我们特别注重他对观照境界的体会。对于伊川,我们将会用哲学诠释学的角度去理解他的格物致知工夫。

当然,正如上文已提及,如此对二程哲学的整理和消化,就必然运用好些二程自己没有用过的现代词汇和概念。因为我们若只允许使用二程自己说过的词汇作为规范,则我们必然无从透入他们的生命世界,更深切地把捉他们道德生命体验背后的义理规模。因为我们相信,二程的言行所指向的道德生命世界,远广阔过他们用语言留给我们的片语。正如利科(Paul Ricoeur)指出,当意念从作者的笔杆书写成文字开始,不但主体意念外在化被固定下来(fixation),而且此段文字亦立即成为作者自己也无法操纵的门户,让其他诠释者进入去窥视和把捉他的内心世界。故此,

"理解"的重点所在,并不是该作者和他所处的境况。"理解"最主要的职责,是尝试去把捉那份文献所敞开和指向的世界。去理解一份文献,就是由感观[认知]转到去随从该文献的指向[世界]。即由文献所言说的(it says)带进文献所言及的(it talks about)……如此的信念是来自深层语法学(depth-semantics)的涉指论。文献都是要言及[指向]一个可能的世界(a possible world)和人在其中随之转化自己的可能途径(a possible way)。[生命]世界的不同角度,是借助文献而真正地被敞开和呈现出来的……[我们相信]**我们可以理解一位作者,比较他对自己的理解更多。**这事实正显示出该作者的言语是蕴涵着一种展露的能力(the power of disclosure),可以

越出作者自身的实存情境那有限的视域。①

最后,笔者简略交待在二程文献运用和处理上所持的方法。《河南程氏遗书》第十一至十四卷注明为"明道先生语",第十五至廿五卷注明为"伊川先生语"。《遗书》第一至十卷则只注明为"二先生语",部分并不容易分辨出自明道抑伊川。然其中语录段末凡注明为"明"、又或一段文字之后列明"右明道先生语"、又或语录中载伯淳先生(即明道)答学生所问,皆可视为明道语无疑。同样方法,亦可分出《遗书》前十卷中的伊川语。另一方面,我们也可以参考《宋元学案》中的《明道学案》与《伊川学案》所录条目,或宋明清收入明道或伊川个人的语录编集,作为底本比较《遗书》前十卷,鉴定出某些语录的原说者。②

有论者以语录风格与哲学气质去鉴别《遗书》前十卷条目的原说者,又或者以"二先生语"为二程在洛阳授徒前期所录,故皆大概可视为"明道语"(即若不然,伊川亦不反对其兄之见)。③ 此等方法的进路,当然有其一定的价值,但在严格的考据意义上说,仍不能绝对肯定其可靠性。本书尽量不运用原说者有疑问的语录条目。其实,单就已确定鉴别出来的语录条目,加上《经说》、《文集》、《外书》和《周易程氏传》,二程个别的哲学风格和观点,已足够地显明出来,不必依赖引证于来源暧昧的语句。

---

① Ricoeur,'Model of the Text,'Social Research 38:558。强调号为笔者所加。

② 亦参见庞万里:《二程哲学体系》,第413~414页。

③ 例如牟宗三:《心体与性体》(二),第5~8页;孙振青:《宋明道学》(台北:千华,1986),第137页;Ts'ai,'Philosophy of Ch'eng I,'pp. 10~12。

# 第二章　程明道即"一本"言工夫之义理格局

## 一、引言:"一本"之境界

牟宗三在其著《圆善论》中谓:"明道之一本论乃真相应于孔孟圆盈之教之规模者。"①此足以表示他对程明道"一本"论之推崇。而事实上,牟宗三认为明道的一本论不但将北宋理学由周濂溪、张横渠之《中庸》《易传》学回归于《论语》《孟子》而下开陆象山的孟子学,更能圆融地补足象山在天道性命客观面之虚歉,而又不陷于伊川、朱子之分解横摄系统。故牟宗三谓:

〔明道之学〕妙在主客观两面之提纲同样饱满而无虚歉,而以圆顿之智慧成其"一本"之论,此明道之所以为大,而为圆顿之教之型范也。②

牟宗三在《心体与性体》中对明道一本论有关的语录已作详细的疏解,指出了此圆顿之教的方向,并作综合的统述。本书无须再予以重复。本章则尝试对有关文献作进一步较精细的探索,以求更

---

①　牟宗三:《圆善论》(台北:学生书局,1985),第311页。
②　牟宗三:《心体与性体》(二)(台北:正中书局,1975),第18页。参见同书,第20页。

清楚描述此**境界**之内涵及牵涉的义理格局问题。

就文献上说,明道直言"一本"的说话并不多,我们当然不能单根据这一两句片语去发挥,而须要就一切有关的资料作整理。然而,以这几句直接的说话为起始点,而规划出一个大方向,也是适当而且必须的。明道直言"一本"的说话,是:

> 道,**一本**也。或谓以心包诚,不若以诚包心;以至诚参天地,不若以至诚体人物,是二本也。知不二本,便是笃恭而天下平之道。(《遗书》卷十一)

此处是指出"道"真正的呈现,① 我们不能以有**分别相**的概念去理解。若以分解的角度去表达道之呈现,就是"二本"。这里所表达的是一种"境界"性的说法。因为就常识的层面,讨论"心"、"诚"、"天地"之间的互参、互包关系,并无不可。然而,若攀上高一个境界层次去看,此诸多分殊的关系,却不外只是同一"道"的呈现。故此,我们必须突破分解性的"二本"角度去把捉"道"。

不过,在我们进入详细诠释"一本"在明道思想中的意义之前,我们须就"一本"此词汇的根本意义作一交待。而其结论是对诠释明道的一本论有特别重要的作用。

"一本"这词是由"一"与"本"两个字组合而成。而若就其中一方的字义作为重点去诠释"一本",则可以归纳出两种不完全相同的涵义。

先就"本"为重点展开对"一本"的诠释。"本"有根源之意。"一本"就是"同一根源"的意思。② 即强调诸分殊的事物具有同一

---

① 在此将"道"不解作道体,而作道之呈现,参见牟宗三:《心体与性体》(二),第104~105页。

② 《辞源》(修订本),第一分册(香港:商务印书馆,1980),第2页。

的根源。而事实上此意义亦合《孟子》中的用法;①也合魏晋玄学与佛学之争所用的意义。② 另一方面,若就"一"为重点展开对"一本"的诠释,则"一本"指向一种能见诸分殊事物可以**相即无外**的观照境界。事实上,此义亦是明道所特重者。盖明道言"一本",多与"二本"(或"三本")相对而言。而所谓"二本",在明道的文献中并无一致的意义:此"二本"可指以为人性有内外之别,③可指"诚"与"心"的二分但相包容的关系,④可指以"有彼此对待"的观点去看人天参与、人人相体的关系,⑤可指以分别相去看人以外另立一天的天人关系,⑥可指以为在道德实践工夫过程中,"致知"与"格物"为两回事,⑦也可更彻底地泛指一切不能开阔心胸、有分别相的观

---

① "一本"在《孟子》中的用法,见"滕文公上":"且天之生物也,使之一本;而夷子二本故也。"此处针对墨家学者夷子论"兼爱"之说。而所谓"一本"是指天生万物(人亦包括在内),各自只有一个根源(就人来说,就是其父母)。而"二本"是指夷子的见解会引申认为万物可以有多元的根源(自己的父母与他人的父母无等差,都是生命的根源)。

② 汤用彤:《汉魏两晋南北朝佛教史》(下)(台北:商务印书馆,1974),第37~40页。"一本"指"至道宗极"所归乎的"本源道体"。故此处重点亦落在"根源"的问题。

③ 《定性书》:"……不知性之无内外也。既以内外为二本,则又乌可遽语定哉?"

④ 《遗书》卷十一:"道,一本也。或谓以心包诚,不若以诚包心;以至诚参天地,不若以至诚体人物,是二本也。"

⑤ 同④。参见牟宗三:《心体与性体》(二)第104页。

⑥ 《遗书》卷十一:"冬寒夏暑,阴阳也;所以运动变化者,神也。神无方,故易无体。若如或者别立一天,谓人不可以包天,则有方矣,是二本也。"

⑦ 同⑥:"'致知在格物。'格,至也。或以格为止物,是二本矣。"

法。而任何具"有差别之预设"皆可谓"二本"、"三本"。① 由此可见,所谓"二本"在明道的理解中有极不一致的内涵意义;因而与之相对的"一本"也并非指向某一**特定的本源**问题。若我们要以一最广义的意义去囊括"二本"的各种用法,乃是一种"有分别相"的观法。故凡是落于分别、相对角度去理解世界的道路,皆可通称为"二本"。若这就是"二本",则与之相对的"一本"就可以理解为"无分别相"的观法。这种观照的境界在牟宗三《智的直觉与中国哲学》中有直接了当的阐述:

> 〔智的直觉〕在此知上之"合内外"不是能所关系中认知地关联的合,乃是随超越的道德本心之"遍体天下之物而不遗"而为一体之所贯,一心之圆照,这是摄物归心而为绝对的,立体的,无外的,创生的合,这是"万物皆备于我"的合,这不是在关联方式中的合,因为严格讲,亦无所谓合,而只是由超越形限而来之仁心感通之不隔。若依明道之口吻说,合就是二本,而这却是一本之无外……德性之知即随本心仁体之如是润而如是知,亦即此本心仁体之常润而常照。遍润一切而无遗,即圆照一切而无外。此圆照之知不是在主客关系中呈现,它无特定之物为其对象(object)……它超越了主客关系之模式而消化了主客相对之主体相与客体相,它是朗现无对的心体大主之圆照与遍润。②

---

① 《遗书》卷二上(未注谁语,然见《明道学案》):"观天理,亦须放开意思,**开阔得心胸,便可见**,打摞了习心两漏三漏子。今如此混然说做一体,**犹二本**,那堪更**二本三本**!"参见牟宗三:《心体与性体》(二),第 92 页:"'混然说做一体'即有不混然、不一体为背景,犹有'二本'之嫌……'混然'犹有差别之预设,'一体'犹有隔别之预设,故须混而冥之,化而一之,此犹有二本之嫌也。故'混然一体'还不算是到家的话头。"

② 牟宗三:《智的直觉与中国哲学》(台北:商务印书馆,1971),第 186～187 页。

当然,就"本"与"一"的涵义而诠释"一本",结果并不必然互相排斥,但两者却实在指着不同的方向和重点而说。就明道对"一本"论的理解而言,我们就可以把它们看为**两重不同的观照境界**:第一重境界是破事物的分殊性(分别相),**把持本源**的"统摄意向"。第二重境界是进一步以更超越的"圆照"智慧见事物**本来就是**相即无外,由此而到达破本源与现象、形上与形下、普遍与具体、主客内外的"绝对圆融境界"。《遗书》卷七记载明道举示了两个颇为有趣的例子去分别此两重境界的不同层次:

  **愚者**指东为东,指西为西,随众所见而已。**知者**知东不必为东,西不必为西。惟**圣人**明于定分,须以东为东,以西为西。(未注谁语,然见《明道学案》)

  **坐井观天**,非天小,只被自家入井中,被井筒拘束了。然井何罪?亦何可废?但**出井中**,便见天大。已见天如此大,不为井所拘,却**入井中也不害**。(未注谁语,然见《明道学案》)

此中"愚者所见"及"坐井观天"是一种常识性的观物境界。"知者所见"与"出井见天大"乃是一种扩阔心胸、见事物同体的"统摄意向"观照境界。而最后"圣人所见"与"入井不害"则进一步打破东西、大小对待的分别相,不在主、客关系中观天地万物的相即无外的"绝对圆融"观照境界。①

  以上即就"一本"的本义作初步阐释。下文再就各有关的文献对明道的工夫论作一全盘的整理。

---

①  明道对这两重不同境界层次的描述,通常并不归类地散见于其门人所记的语录之中。以下一节,就是尝试透过个别境界的特质,将有关的语录安放在适当的层次。

## 二、"一本"境界之内涵与义理格局

从上述的初步阐释,可见明道的"一本"论实具有其圆顿的智慧。此中包括一破对待相、统摄分殊的圆融观照境界。但明道的一本论不单只是一种观天地万物的智慧,也落实在生命的实践上,成为一种即本体即工夫、"极度简单化"的生命情调。① 以下就此"观照境界"及"实践境界"两方面作进一步的详细探讨。

**(一)"一本"论作为一种圆顿的观照境界**

在"引言"部分我们已略指出,明道的一本论作为一种圆顿的观照境界,实则可以再分层为两重境界层次:第一重是就把持本源的统摄意向,以破事物的分殊性、分别相;第二重就是就超越的圆顿观照智慧,见事物本来就是相即无外,由此更进而破本源与现象、形上与形下、彻主客内外的绝对圆融境界。以下再分述其内涵。

(1)通过"本体"统摄"存在"——从把持本源的统摄意向破分别相的境界

所谓"统摄意向",就是一种就宇宙万事万物作一整全(horizon)的观照视域,将个别事物统一在此整体之内,从而看出部分与部分之间不能分割的紧扣关联、而且相互贯注的关系。此中包含两个重点:其一,整全(totality)的观照角度作出发点及视域。其二,从而看见个别事物之间紧扣且相互贯注的关系。

就明道的话说,此"统摄"的意向,就是"人心常要活,则周流无穷,而**不滞于一隅**。"(《遗书》卷五,未注谁语,然见《明道学案》)能"不滞于一隅",便见万物是本于"同一根源"(即所谓"一本")。故

---

① 程兆熊:《大地人物——理学人物之生活的体认》,收入《完人的生活与风姿》(台北:大林,1978),第 45～48 页。

明道又言:"万物**无一物失所**,便是天理时中。"(《遗书》卷五,未注谁语,然见〔明〕沈桂〔b.1368〕:《明道全集》)①这里的意思是,若能够把持天理作一有机的整体作为观照的出发点及视域,则可见诸事物其实不外只是此"理",而不会流于"二本"、"三本"的片面观。因此明道喜欢用"只是……此"、"非是别有一个"等词汇去指出一般人常识以为分殊的事物,在根源上其实是共通同体的。《遗书》卷二上有两段话:

> 如天理底意思,诚只是诚此者也,敬只是敬此者也,非是别有一个诚,更有一个敬也。(未注谁语,然见沈桂:《明道全集》)②

> 理则天下只是一个理,故推四海而准,须是质诸天地,考诸三王不易之理。故敬则只是敬此者也,仁是仁此者也,信是信此者也。(未注谁语,然见沈桂:《明道全集》)③

能够把持此天理的一本的角度去观照,则见一切有形相之别的事物皆可以统摄起来,视为相互关系的有机整体。此即明道所谓"二气五行刚柔万殊,圣人**所由惟一理**,人须要**复其初**。"(《遗书》卷六,未注谁语,然见《明道学案》)

此种就"惟一理"的一本观法,跟一般常识性地就万事万物分殊的现象去个别理解("滞于一隅")的观法,显然是两种截然不同的观照境界。前者是以"道"而观,是"心"观,故能观无限之有机整体。后者以感官作出发点,只见有形相的具体事物。故明道言:

---

① W. T. Chan, A Source Book in Chinese Philosophy(Princeton:Princeton University Press,1963),p.536。

② 同①,第533页。

③ 同①,第534页。牟宗三:《心体与性体》(二),第18页:"所谓'一本'者,无论从主观面说,或从客观面说,总只是这'本体宇宙论的实体'之道德创造或宇宙生化之立体地直贯……自其为创造之根源说是一(Monistic),自其散着于万事万物而贞定之说则是多(Pluralistic)。"

耳目能视听而不能远者,气有限耳,心则无远近也。(《遗书》卷十一)①

就此两种不同理解宇宙万事万物的进路而言,西哲前苏格拉底(pre-Socratic)希腊哲学家巴曼尼德斯(Parmenides of Elea,c. 515b.)亦有相似的洞悉,他称之为"真理之道"(the Way of Truth)与"形相之道"(the Way of Seeming)之分。前者能见"理性之对象"(objects of reason,tōn noētōn),后者只见"感官之对象"(objects of sense,ta aisthēta)。② "形相"观万事万物之分殊及相对,是一般常识性的人(巴氏称之为"有限生命的人",broteias)的见识,受蔽于万物之分别名相的误解(kosmon epeōn)。③ "真理"观则能越过分殊现象,统摄动静、有无、一多,而见一不可分

---

① 又言:"'形而上者谓之道,形而下者谓之器。'若如或者以清、虚、一、大为天道,则乃以器言而非道也。"(《遗书》卷十一)此中隐含一"器"(形而下)的说法与"道"(形而上)的说法之不同对比。

② 当然,在本体学的层次来说,巴氏所预设的道(Being)与明道的天理有一定程度上不同的理解。笔者在此只仅就"观照"层次的进路方面引进西方古代哲学作点参考。此"真理之道"与"形相之道"的界分可见于巴氏的"残片第2"(fr.2)(残片数码次序,皆按照 Diels Kranz, Die Fragmente der Vorsokratiker〔Berlin:1903¹,1952⁶〕)。而此残片原出处,Simplicus, Phys.30,14 在其引述时谓:"巴曼尼德斯〔将其讨论〕从**理性之对象**转向**感官之对象**,或如他自己所谓,从**真理**〔之道〕转向**形相**〔之道〕。"(中译为笔者直译自希腊原文,强调号亦笔者所加)。此"真理之道"与"形相之道"的两种观法分别,亦为大多数论者所习用。见 J. Burnet, Early Greek Philosophy(London:Adam & Charles Black,1908), pp. 197~211; F. M. Cornford, Plato and Parmenides (London:Kegan Paul,Trench,Trubner & Co.,1939), pp.35~52。

③ 见"残片第8"第51~52行:"现今〔我们〕要看看那些有限生命的人的见解,请聆听我〔以下一番按他们观点〕充满误解的名相说法。"(中译为笔者自译)

之"一本"真理(oude diaireton estin)。①

以上述"一本"论之统摄观与常识(感官)性之分别观,是两种不同理解宇宙万事万物的不同进路。然而持"一本"观照下的有机整体世界究竟是如何的?明道通过"破空间"、"破时间"这两个存有的架构作了具体的阐释。

先述"一本"观之破空间。

明道从一本的统摄观照去理解世界,在空间方面,就能破相对的方位,亦能破天地之所谓内外之别。上文曾引述《明道学案》言:"愚者指东为东,指西为西……知者**知东不必为东,西不必为西**。"基本上所谓东、西的方位,在一有机整体世界的统摄观照下,是具有一定的相对性。因此东、西这两种在常识层次是对立的方位,其实有其相互涵摄性。②《遗书》卷十二明道言"中"之相对性,亦有破方位之意向:"〔中〕且唤做中,**若以四方之中为中,则四边无中乎?若以中外之中为中,则外面无中乎?**如'生生之谓易,天地设位而易行乎其中',岂可只以今之《易》书为易乎?**中者,且谓之中,不可捉一个中来为中**。"③此处亦是通过一整体世界的观照角度,破那与"四方"相对之"中"、与内外相对之"中"的"方所的观念"。④《遗书》卷二上有一段进一步阐释"中"之定限性与无定限性,颇能总结明道破方位空间之意向:

---

① 详见其"残片第 8"第 1~49 行。参 S. Kirk and J. E. Raven, The Presocratic Philosophers (Cambridge: Cambridge University Press, 1957), pp. 272~278。

② 用现代例子来说,"东海"之名,是因为从中国的角度出发。对居住在日本、台湾的人来说,那是"西海"。又如北美社会称亚洲人为"东方人",然而,要往访亚洲,北美的飞机却是向西方去。

③ 牟宗三:《心体与性体》(二),第 110~111 页:"首句'且唤做中''且'字上疑脱一'中'字。"

④ 同③,第 111 页

极为天地中,是也,然论地中尽有说。据测景,以三万里为中,若有穷然。有至一边已及一万五千里,而天地之运盖如初也。然则中者,亦时中耳。地形有高下,无适而不为中,故其中不可定下。譬如杨氏为我,墨氏兼爱,子莫于此二者以执其中,则中者适未足为中也。故曰:"执中无权,犹执一也。"若是因地形高下,无适而不为中,则天地之化不可穷也。若定下不易之中,则须有左有右,有前有后,四隅既定,则各有远近之限,便至百千万亿,亦犹是有数。盖有数则终有尽处,不知如何为尽也。①

从一本观之破方位,再推进一步,亦能**破内外**。明道多处言"天地"无所谓"内、外"之别。故曰:"'范围天地之化而不遇'者,模范出一天地尔。**非在外**也。如此曲成万物,岂有遗哉?"(《遗书》卷十一)盖言"内"、"外",已先预设一**范围感**。若能即"**一本**"而破范围,则"天地"作为一切存在的终极整全,当然不能再以"内""外"的概念去对应。然而,明道言天地无内外,不单是一种方位上的对破,而是更要指出,人以其心观天地而可以超越其内、外之别,是因为**人的生命与天地同体**。故曰:"言体天地之化,已剩一体字。**只此便是天地之化,不可对此个别有天地**。"(《遗书》卷二上,未注谁语,然见《明道学案》)若能在一本观照境界中透识"只我这里便是天地之化",当然无所谓天地之规模和范围。② 此即所谓"'大人者,与天地合其德,与日月合其明',**非在外**也。"(《遗书》卷十一)因此我们可见,明道所破之天地内外观有两重意义:一是既然天地即

---

① 此处虽然未注谁语,但就内容风格而言,不但与前引述《遗书》卷十二之一段契合,亦可视为进一步的阐释。故应属明道语。参庞万里:《二程哲学体系》第364页亦判此条为明道语。

② 见牟宗三:《心体与性体》(二),第94页释"言体天地之化,已剩一体字……"条。

一切之存有,则所谓"天地之外"已预设一范围概念,根本就与"天地"的本义不相应。二是既然"大人"已经与天地合德,当然亦无所谓"天地之外"的别一个"我"之存在。

从一本的统摄观照去理解世界,明道不单破空间(破方位、破天地内外),亦破时间之"动"、"静"观念。

此中所谓破动、静亦有两方面的意义:一是通过见世界作为一有机整体的统摄观,去破万事万物之所谓有动有静的**景象**。另一则是破道德实践中之(活)动与静(知止)两种**工夫**的相对性。现先述前者。《遗书》卷十一录明道言:

> 言有无,则多有字;言无无,则多无字。**有无与动静同**。如冬至之前天地闭,**可谓静矣**;而日月星辰亦自运行而不息,**谓之无动可乎**?但人不识有无动静尔。

此处就存在之有、无的相对观,言"动"、"静"在整全层次的观照下,亦是相对的。故就冬至前的景象而言是"静",但就日月星辰运行的宇宙整体运作视域而言,则未尝是静。以为有绝对动、静的对立,只是"人不识"之故。其实在一本观照之下,动静并非绝对对反,而是相生相成。①

明道之破动、静的另一意义,是特指道德实践的工夫而言。故《定性书》云:"所谓定者,**动亦定,静亦定**。"此处谓人若能把持心的贞定,则积极的**活动工夫**与持守的**知止工夫**亦可以相融相摄。心若不能"定",则"静亦不安,或动亦有病"。② 明道亦引《易传》"系辞上""寂然不动,感而遂通天下之故"之句阐释其动、静的无对性:

> "寂然不动,感而遂通"者,天理具备,元无欠少,不为尧存,不为桀亡。父子君臣,**常理不易,何曾动来**?因不动,故言"寂然";**虽不动,感便通**,感非自外也。(《遗书》卷二上,未注

---

① 《明道学案》言:"息,止也。止则便生。不止则不生。"
② 牟宗三:《心体与性体》(二),第239页。

谁语,然见《明道学案》)能把持不易之"常理"(寂然之静),则生命自能涌溢踊跃(感通之动)。故感通之动乃源自寂然不动之静;而若能贞定把持此天理,亦必然能动而润物。① 可见"动"与"静"在道德实践工夫上亦有其不可对分的有机关系。

以上数段,即就明道的一本论,通过本体之统摄观,见万事万物不再是分殊地各自独立存在,而是有机地构成一整体世界。在此观照境界之下,空间之方位与时间之动静相对性,天地之内外与道德实践工夫之动静对立,皆一一对破而相互贯注。存在的时空架构既已化掉,则可以见一全体大用之"一本"世界。

(2) 即"存在"即"本体"——绝对圆融之观照境界

以上一节论明道通过把持本体的统摄意向而破存在之分殊的境界。但此观照境界仍有未彻底圆融之处。因为若要透过"本体"去破"存在"之分殊,则在绝对意义上说,仍有一普遍"本体"与分殊"存在"之范畴界分,亦即仍有一隐含之基本分别相。

要达至彻底的圆融境界,必须进一步甚至取消此"本体"与"存在"之分别。此即是"即存在即本体"的观照境界。

在此观照之下,所谓具体与普遍、形下与形上、主体(内)与客体(外)之间的基本范畴皆一概破除,乃见那绝对圆融而不能再分解的道体。盖真正绝对圆融的道体**不只是普遍也必然包括具体**,不只是形上也必然包括形下,不只是外或内而必然包括内外、主客。要描述这个绝对圆融的境界,明道不能再用一般语言中分解

---

① 牟宗三:《中国哲学的特质》(香港:人生,1963),第30页:"仁以感通为性,以润物为用。"

的说法,而必须作圆顿(非分解)的弔诡性表示方式。① 以下再作阐释。

若上节所言的境界,是通过把持本源而化掉存在与存在之间的分别相,则"即存在即本体"的观照境界是更进一步要化掉"形而上"与"形而下"的区别。《遗书》卷十一言:

> "形而上者谓之道,形而下者谓之器。"若如或者以清、虚、一、大为天道,则乃以器言而非道也。

《易传》以为"形而上"才是"道","形而下"是"器"。而明道则认为,真正的道亦不能以"清"、"虚"、"一"、"大"等属性词(attributes)去表达界分。因为这仍旧是一种分解表示方式,仍是"器言"。此分解的"器言"当然不可能表达那统摄一切、不受限制之道体。真正的道体应当是"**须兼清浊虚实**"而"**体物不遗**"的。② 明道又再借用《易传》另一句作评释发挥,而指出此道体形上形下的涵摄性:

> 又曰:"一阴一阳之谓道。"**阴阳亦形而下者也**,而曰道者,惟此语**截得上下最分明,元来只此是道**,要在人默而识之也。(《遗书》卷十一)

此处也是旨在表达,若分解地言道是"阴阳",已落入一相对的观念,亦已非道体之本来面貌了。原来"道虽不即阴阳,亦不离阴阳",故"即'截得'而又圆融,即圆融而又'截得',上即在下中,下即在上中,此所以为诡谲也。"③因此,就此绝对圆融之境界而言:

---

① 更详细讨论可参见牟宗三:《中国哲学十九讲》(台北:学生书局,1983),第十六讲"分别说与非分别说及'表达圆教'之模式",第十七讲"圆教与圆善"。

② 《遗书》卷二上:"立清虚一大为万物之源,恐未安,**须兼清浊虚实**乃可言神。道**体物不遗**,不应有方所。"(未注谁语,然比较卷十一上引段之文句及意向,当为明道语)。参见庞万里:《二程哲学体系》,第353页亦判此条为明道语。

③ 牟宗三:《心体与性体》(二),第43~44页

形而上为道,形而下为器,**须著如此说。器亦道,道亦器**,但得道在,不系今与后,己与人。(《遗书》卷一,未注谁语,然见《明道学案》)

可是"道"与"器"可分亦不可分。形上、形下的分别只是作为这圆融境界的背景,是过渡至此境界之必需桥梁("须著如此说")而已。然到达了"即存在即本体"的绝对圆融境界之后,则可见:"器亦道,道亦器"。这是一种"彻上彻下"的境界。① 故圣人能参透超越,亦落实于具体,圆融而整全。此即所谓:"圣人之言,冲和之气也,**贯彻上下**。"(《遗书》卷十一)②

在此绝对圆融的境界中,同样地,人与天、人与物亦再无相对的分别,乃是相即相摄,浑然同体了。

先述天人相合的圆融境界。言"天人相合"当然并非始于明道。但明道的独特处,在于他以一种圆融的手法去表达天人无间的绝对性。《遗书》卷六记载明道言:

天人本无二,不必言合。(未注谁语,然见《明道学案》)

在此明道指出,天人相合当然是一种实践中极高的境界。但若言"天人相合",则此"合"字本身已预设了一种天、人本来未合的分别相,亦即仍未能绝对圆融。绝对圆融的境界是不但"合天人",而更能体悟天人**本来**就并无分别。这是一种经过天人相合的境界开悟后,再回头以一种非分别的观照去重见具体世界之"即存在即本体"的本来面目。故明道以一切仍旧在说"合天人"的说法都只是初步的见解而已,并未达到绝对圆融之境:

---

① 见上引"形而上为道……己与人"(《遗书》卷一)段:"彻上彻下,不过如此。"

② 又《遗书》卷二上:"'居处恭,执事敬,与人忠'此是**彻上彻下**语,圣人元无二语"。此亦是圆融贯彻之表达。从即存在即本体的境界去理解,恭、敬、忠虽不同亦不必分。故谓之"圣人元无二语"。

## 第二章 程明道即"一本"言工夫之义理格局

> 今看得不一,只是心生。除了身只是理,便说合天。**合天人,已是为不知者引而致之。天人无间**。夫不充塞则不能化育,言赞化育,已是离人而言之。(《遗书》卷二上,未注谁语,然见《明道学案》)

此处就是指出,谓"合天人"已是分解地说。若就圆融境界说,连"合"、"赞"等观念亦应该化掉。因为"若是真明得透澈,则人即天,更无'合'之可言。圣人生命通体是天,更无所谓'合'。通体是天意即通体是理之充塞。只此便是'化育',不必言'赞'……去'合'废'赞'便是'一本'。"①

在绝对圆融的境界中,明道亦可以言人与物之浑然无外。明道《识仁篇》谓:

> 仁者,**浑然与物同体**……此道**与物无对**,大不足以名之,天地之用皆我之用。孟子言"万物皆备于我",须反身而诚,乃为大乐。若反身未诚,则**犹有二物有对**。

此处以"仁者"的境界言"浑然与物同体"与"与物无对",是将自《论语》以来理解"仁"之意义作极度的扩充。"仁"的核心意义是"感通"。即"通情成感,以感应成通。"②这是一种将一己生命扩大而统摄他者生命的存在情态,视他者非另一客观对象,而是就对方主体性的情感纳入自己生命之中。西方现象学用"互为主体性"(intersubjectivity)一词去描述。③ 明道以"无对"、"浑然"、"同体"等意义去诠释"仁",是将此感通情态背后的哲学观念推至极尽,而成为一种**彻底化掉主客相对**的境界。《遗书》卷二上明道以"属己"解

---

① 牟宗三:《心体与性体》(二),第 92~93 页。
② 唐君毅:《中国哲学原论》(原道篇卷一)(香港:新亚研究所,1973),第 76 页。
③ 现象学对"互为主体性"之理解,可参见 T. J. Owens, Phenomenology and Subjectivity(The Hague:Martinus Nijhoff,1970)一书。

"仁",以"不属己"为"不仁",实在把那种将一切纳入自己生命之中的境界描写得淋漓尽致:

> 医书言手足痿痹为不仁,此言最善名状。**仁者,以天地万物为一体**,莫非己也。认得为己,何所不至?若不有诸己,自不与己相干。如手足不仁,气已**不贯**,皆**不属己**。

故"不仁"就是"不有诸己"、"不与己相干"、"不贯"、"不属己"。虽是自己身体的一部分(如手足),亦是不仁。但若是"认得为己",无所"不至",则早已将对方纳入自己生命之中。若是如此,则可以言"仁者,以天地万物为一体,莫非己也。"将天地万物纳入自己生命,而天地万物亦在一己生命中化掉其相对待性,而成为主、客贯通圆融无外的"一体"。故明道言:

> 夫能"敬以直内,义以方外",则**与物同矣**。故曰:"敬义立而德不孤。"是以**仁者无对**,放之东海而准,放之西海而准,放之南海而准,放之北海而准。(《遗书》卷十一)

能"与物同"而"以己及物"①则物我生命再"无对",则可以浑然与物同体。能浑然与物同体,则可以彻内、外之别。此即明道《定性书》的重要论旨:

> 所谓定者,动亦定,静亦定,无将迎,**无内外**。苟以外物为外,牵己而从之,**是以己性为有内外也**。且以性为随物于外,则当其在外时,何者为在内?是有意于绝外诱,而**不知性之无内外也**。即**以内外为二本**,则又乌可遽语定哉?夫天地之常,以其**心普万物而无心**;圣人之常,以其情顺万事而无情。故君子之学,莫若**廓然而大公,物来而顺应**……与其非外而是内,不若**内外两忘**也。两忘则澄然无事矣。无事则定,定则明,明则**尚何应物之为累哉**?

---

① 《遗书》卷十一:"以己及物,仁也。推己及物,恕也。"

此段必须从一种圆融境界去理解①,是循上述"浑然与物同体"之境界引申出来的工夫。明道以为张横渠的有"累于外物"②的困境,是在于"以己性为有内外"之别,因而"以内外为二本"。此主、客之分别观,是以物在外、心在内。③ 如此,则以为"从外者为非"、"求在内者为是"。④ 然而愈努力挣脱外物之诱,则心之注意力愈集中在外物之中,因而更不能摆脱那种陷溺的状态。⑤ 故曰:"苟规规于外诱之除,将见灭于东而生于西也。"此亦即明道在另一处所谓"着意"与"忘"的对比:

> 孟子谓"必有事焉,而勿正,心勿忘,勿助长"正是**着意,忘则无物**。(《遗书》卷十一)

要真正摆脱陷溺,就必须"忘"。要"忘",就必先要取消那"内""外"、"主""客"的分别观念。若始终坚持内外对立的心态,而"**以恶外物**之心,而求照**无物**之地,是反鉴而索照也。"然而,若能在一种彻内、外的境界中去化掉"外物"与"内心"的相对,就真的可以"**内外两忘**"了。也就是说,圣人能"以其心普万物"则可以"无心"。无心,则能"应于物"而无累。心中无所留住,则亦无所陷溺。《明道学案》云:

---

① 劳思光:《中国哲学史》(三)(香港:友联,1980),第 237 页:"'定性书'虽或有欠严格之处,但此一文件透露明道对**圣人境界**之基本看法,则无可疑。"强调号为笔者所加。

② 见《定性书》首段。

③ 劳思光:《中国哲学史》(三),第 237 页:"'定性书'中所论实是'定心'之问题,亦即'心'之'循理应物'之说。'性'字宜皆作'心'看。"

④ 见《定性书》末段。

⑤ 譬如初学自行车的人。正当其摇摆不定之际,见前面路中有石。初学者必多将会注视石块,但同时又希望能够避开石块而过。而结果,由于愈注视石块,车愈朝石块碰去。反之,若根本不注视石块而朝旁边望去,则车果能绕道过去。

> 风竹是感应无心。如人怒我,勿留胸中。须如风动竹,德至于无我者,虽善言善行,莫非所过之化也。

另一方面,若能"忘物"(不"着意"于物),则可以"于怒时遽忘其怒,而观理之是非,亦可见**外诱之不足恶**,而于道亦思过半矣。"①此处之意,是谓能够"忘物"就等如见物为"镜中影",既知只是镜中之影,遂无怒可迁。《遗书》卷十一明道言:

> 动乎血气者,其怒必迁。若鉴之照物,妍媸在彼,随物以应之;怒不在此,何迁之有?

可见,这是一种绝对圆融无对的境界。若能到达此境界,则可谓之"君子之学",是"廓然而大公,物来而顺应"了。

以上是阐释明道"即存在即本体"的绝对圆融境界。在此境界的观照之下,所谓形上形下、人天、人物、主客、内外等基本相对性和分别相被彻底地化掉。而生命则提升至一绝对圆融之境。此亦即是明道言"一本"的最高指向。

### (二)"一本"论作为一种极度简单化的生命情调

明道的一本论,从上节所论,是揭示一种圆顿的观照境界。然而就明道的哲学而言,此一本的境界当然不单旨在一种纯智的直观,而必然亦落实在具体的道德实践生命之中。事实上,在上节末所述的彻内、外工夫,已不只是一种圆顿观照而已,亦是道德实践的境界性描述。可见观照与实践在明道的哲学中是不可截然界分的。能够达至道德实践的崇高境界,是建基于观照上的开悟。而能有圆顿的统摄观,亦即可以在道德实践上获得突破。这也是《定性书》要表达的一种密切关系。因而程兆熊认为:

> 道德生活之全,以属于"一"、归于本体、归于**极度的简单**

---

① 见《定性书》末段。张永儁:"讀程明道'定性书'略论",《二程学管见》(台北:东大图书公司,1988),第1~36页尝试从道家莊子及禅宗佛教的观点去看《定性书》。

化，便是定性……"两忘则澄然无事"，这便是一个人**简单化到了极度**，亦就是一个人**简单化到了一点，而归于一本**。①

此处所谓"极度的简单化"，是指出明道言道德实践工夫的**简约原则**。《明道学案》有一段话说：

> 学者今日无添，只有可减。减尽便没事。

"减"是简约之道。将分殊的实践工夫化约为对"与天地万物为一体"直贯的把持，便是工夫的上乘者。反之，若"**苟规规于外诱之除，将见灭于东而生于西也**。非惟曰之不足，顾**其端无穷**，不可得而除也。"（《定性书》）故须：

> 且省外事，但明乎善，惟进诚心，其文章虽不中不远矣。**所守不约，泛滥无功**。（《遗书》卷二上）

明白道体之无对无外、亦超越亦具体，便能把握"约处"，这就是"圣人"之途。否则只是"穿凿系累，自非道理。"②这种破分殊而圆融地去把持那绝对统摄性、浑然一体的道体，当然与上述的圆顿观照境界是息息相连的。《遗书》卷二上言：

> "穷理尽性以至于命"，三事一时并了，元无次序，不可将穷理作知之事。**若实穷得理，即性命亦可了**。③

这里明道将"穷理"不解作究明外物之理，而是"究明'性命之理'而澈知之"④。此即上节所述圆顿智慧的开悟。一旦把握到此观照境界，"尽性"及"至于命"皆同时了当，故谓"三事一时并了"。这是

---

① 程兆熊：《完人的生活与风姿》，第47页，强调号为笔者所加。
② 《遗书》卷二上："学者不必远求，近取诸身，只明人理，敬而已矣，便是**约处**……至于圣人，**亦止如是**，更无别途。**穿凿系累，自非道理**。故有道有理，天人一也，**更不分别**。"
③ 参见《遗书》卷十一："'穷理尽性以至于命'，一物也。"
④ 牟宗三：《心体与性体》（二），第99页。

将分殊的工夫统摄简约为一心之把持,亦是一种**即本体即工夫**的境界。故曰:"'咸''恒',体用也。**体用无先后。**"(《遗书》卷十一)

然而,这"即本体即工夫"的道德生命究竟是如何的一种境界?明道《识仁篇》有极精妙的描述:

> 识得此理,以诚敬存之而已,**不须防检**,**不须穷索**。若心懈则有防,心苟不懈,何防之有?理有未得,故须穷索。存久自明。安待穷索?……**未尝致纤毫之力**,此其存之之道。**若存得,便合有得**……**此理至约**,惟患不能守。既能体之而乐,亦不患不能守也。

此处"不须防检"、"未尝致纤毫之力"等语,一如《定性书》中之"内外两忘",必须理解为**境界性**的说法。① 在此最崇高的境界中,道德生命的"实然"(is-ness)与"应然"(ought-ness)**融合为一**。圣人所悦乐的"实然"感受,即是天理当然之"应然"道德规模。盖举凡有"防检"、有"致力",皆显示道德生命的"实然",感受与"应然"要求之间仍然存在有张力,此亦即一切道德实践工夫所必须处理之基本问题。然而在圣人,则无此"实然"与"应然"之间的拉力,故道德实践的问题,就可以化约至简。如此则可以言"若存得,便合有得。"存得此"一本"之生命,则一切道德实践问题皆迎刃而解,当然"不须穷索",亦无见外诱"灭于东而生于西"之狼狈。

然而笔者在此必须指出,此"不须防检"、"未尝致纤毫之力"之说,是一种**境界的描述**,并不能作为**实践工夫过程的指点**。盖《识仁篇》中多次言"以诚敬**存**之"、"**存**久自明"、"以此意**存**之"及"**存**习此心"等语。就绝对的意义而言,"存"亦是一种"防检",亦须"致

---

① 参见《遗书》卷二上:"持国尝论克己复礼,以谓克却不是道。伯淳〔明道〕言:'克便是克之道。'持国又言:'道则不须克。'伯淳言:'道则不消克,却不是持国事。'**在圣人,则无事可克;今日持国,须克得己便然后复礼。**"可见"无事可克"是圣人境界,非一般人(如持国者)的努力实践原则。

力"。故此处宜特别注意"境界描述"与"工夫实践"的不同层次。若然混淆,则会产生不相应之误解。

与此有密切关系的,是明道另一段论性之善恶的说话,其中亦指向此"用力"与"不用力"之间的关键性问题:

> 凡人说性,只是说"继之者善"也,孟子言人性善是也。夫所谓"继之者善"也者,犹水流而就下也。皆水也,**有流至海,终无所污,此何烦人力之为也**?有流而未远,固已渐浊;有出而甚远,方有所浊。有浊之多者,有浊之少者。清浊虽不同,然不可以浊者不为水也。如此,**则人不可以不加澄治之功。故用力敏勇则疾清,用力缓怠则迟清,及其清也,则却只是元初水也。**亦不是将清来换却浊,亦不是取出浊来置在一隅也。水之清,则性善之谓也。**故不是善与恶在性中为两物相对,各自出来**。此理,天命也。顺而循之,则道也。循此而修之,各得其分,则教也。自天命以至于教,我无加损焉,此舜有天下而不与焉者也。(《遗书》卷一,未注谁语,然见《明道学案》)

此段牵涉之问题颇多。主要关键在明道一方面肯定道德现象上的二元论(人的道德行为有善亦有恶),但另一方面则否定人性在形上本体层次的二元论(人性的本质只有善而无恶)。因此一方面说"清浊〔按:指善恶〕虽不同,然不可以浊者不为水〔按:指性〕也。"即是说,"恶"也是人性的一种表现的现象。但另一方面又说"不是善与恶在**性中**为两物相对,各自出来";即是说,"性中"无善恶二元相对。这里所谓的"性中",是指性的"本体"(being)意义;前者所谓"清浊水"之"性",是指实然具体(existential)之现象而言。故此处有两个层面。在道德的现象层面,因为有善恶,则"人不可以不加澄治之功"。此即所以要"用力"之故。而且用力之"敏勇"抑"缓怠"是与善恶之行为表现有直接的对等关系。然而,从"本体"层次而言,性的本体是善。故存善去恶的工夫只是恢复本性的本质

(essentialization)①,当然"无加损"于天命(本体层次的性)。

但主要的问题仍在于"有流而至海,终无所污,此何烦人力之为也"这一段话。究竟所谓不用力之意何所指?如何可以"终无所污"?按此段语录的论点言,这是在乎该生命之**机缘**,亦即其开始一段所谓之"气禀"的问题。然而,有此气禀而可以在现实世界一切际遇中竟毫无杂染的,是极端罕有的。然就一般在现实世界生活的人而言,"水"已经是落在清浊相混的状态之中,则复性是否要用力呢?按此段随之的论述,明道是**肯定用力**的(或"敏勇"或"缓怠"的"澄治之功")。然而,此段之前的一段,似乎明道却有另一种见解:"夫所谓'继之者善'也者,**犹水流而就下也**。皆水也,有流至海,终无所污,**此何烦人力之为也**?"此处有倾向以善性如水流而就下,由于是自然的动力,则**无需人力**之用功。此论点亦可见于下列一段明道的说话:

> 万物皆有理,**顺之则易**,逆之则难,各循其理,**何劳于己力哉**?(《遗书》卷十一)

---

① 在西方的哲学传统中,"Essentialization"(Essentifikation)一词始用于德国意念论者谢林(F. W. J. Schelling, 1775~1854),见其著 Clara, oder über den Zusammenhang der Natur mit der Geisterwelt. EinGespräch (Munich:Leibniz Verlag,1949) esp. pp. 52~108,130~133;又"Stuttgarter Privatvorlesungen"in F. W. J. Schellings sämmtliche Werke. ed. by K. F. A. Schelling(Stuttgart & Augsburg:J. G. Cotta'scher Verlag,1856/61)7:474~478。近代宗教哲学家田立克(P. Tillich,1886~1965)引用此观念指人由实存的疏离情态(existential estrangement)复反本质存有(essential being)的过程,此亦即人格完成(selfactualization)的历程。见其著 Systematic Theology (London:SCM,1978)3:107,400~403,405~407,421。亦参见 I. C. Henel,'Paul Tillichs Begriff der Essentifikation und seine Bedeutung für die Ethik,' Neue Zeitschrift für systematische Theologie und Religionsphilosophie 10 (1968):1~17。

这种以"顺性"就无须"用力"的论点,恐怕有点层次上的混淆。若"顺性"所指是顺**善性**而言,则此是指性之"**本体**"意义。但所谓"用力"与否的问题,是就**现实世界实存层次**的工夫历程而言。问题是,一落实在现实世界,就是指性的"实然具体"义;在此义下,即有善有恶。根据明道,在此层次意义下,除恶存善(即浊水化清)就**必须用力**。故此,从具体现实世界的**实存层次**为**起始**的复性工夫,必须用力无疑。虽然,在**本体层次**的诠释而言,此一切努力复性的历程,亦可以说是"无加损"于性于本体。然而,若始自本体层次的描述,加上举示圣人境界是"不须防检",就很容易会以上述我们曾论的"境界描述"去取代了"工夫实践"的现实具体层次,而以为可以"未尝致纤毫之力"就可以叫浊水转清。相信这就是明道后学之所以产生流弊的主要契机。故刘蕺山于《明道学案》"识仁篇"后附言谓:

> 学者极喜举程子识仁,但昔人是**全提**,后人只是**半提**。"仁者浑然与物同体,义礼智信皆仁也"。此**全提**也。后人只说得"浑然与物同体",而遗却下句。此**半提**也。"识得此理,以诚敬存之,不须防检,不须穷索"。此**全提**也。后人只说得"不须"二句,而遗却上句。此**半提**也。尤其卫道之苦心矣。

所谓"半提",即是只知境界描述,而失却工夫实践的用力历程。这当然是明道后学的误解,与明道自身的理解不同。但就上面所论述,既然明道亦倾向以本体层次之性,去说"未尝致纤毫之力"的复性工夫,则其后学有此误解,亦非完全无因。故黄宗羲于《明道学案》"识仁篇"后亦案云:

> 朱子谓"明道说话浑沦,然太高〔按:《朱子语类》第九十三作'煞高'〕,学者难看。"又谓:"程门高弟,如谢上蔡、游定夫、杨龟山下,稍皆入禅学去。**必是程先生当初说得高了。他们只睟见上一截,少下面着实工夫**。故流弊至此。"

朱熹如此评说,亦有其一定的观察与理解。他的重点,是在于强调工夫进路的重要。①

从上面的论述可见,"一本"论作为一种极度简单化的生命情操,是描述一种圣人境界。在此境界之中,道德生命之"实然"意向与"应然"的天理融合为一。故不须防检,亦不费纤毫之力。然而,就一般具体现实世界的实存层次工夫过程而言,无论是"存"、是"循"、是"继",皆是存善去恶所必须用之力。而且用力的敏缓,是直接影响生命之清浊。若然此必须用力之论点成立,则可以在此基础上进言达至"一本"境界之工夫问题。②

## 三、达至"一本"境界之工夫

明道所言的工夫,可以归结为两重:首先是"开悟",然后是"把持"这悟后的境界。前者是智慧,后者是修养。故曰:

> 学在知其所有,又在养其所有。(《明道学案》)

又言:

> 问不知如何持守?曰:"且未说到持守。持守甚事,**须先在致知**。"(《明道学案》)

所谓"悟"就是一种**观照的替换**。由常识的、分别的观照跃升至统摄的、圆融的观照境界。而在道德实践上亦由"穷索"而简约至"内外两忘"的境界。悟到此境界后,继之而行的就是把持的工夫。

所谓"把持"的工夫,就是通过极高度的警觉性去存养此"一本"的圆融境界,使之不再下掉回分殊性的观照和修养。这种高度

---

① 关于此工夫具体的讨论,详见下文。
② 就明道自己言及的讲论来说,他只提及"把持"的工夫,而无提及"开悟"之前的工夫。以下一节笔者从较阔的角度尝试探索一下"悟"前是否亦有工夫的问题。

警觉性的把持,具体地说,就是"诚"、"敬"、"慎独"三方面的实践工夫。以下两节分别阐明之。

**(一) 体悟——境界的提升、意识的转化**

"悟"当然是一种智慧的透识。但此智慧并不等同于一般的理性推理,乃是一种与生命体验不可分的了悟。故明道尝言:"吾学虽有所授受,'天理'二字,却是自家体贴出来。"(《明道学案》)此处谓"自家体贴",是一种生命的体验。惟有通过生命深切的体验(体证),才有智慧的跃升。① 而此种跃升是"异质的跳跃,是突变",是"直下使吾人纯道德的心体毫无隐曲杂染地(无条件地)全部朗现。"②体悟的前后,在观照境界上是异质的。故明道曰:

> 悟则句句皆是这个。道理已明,后无不是此事。(《明道学案》)

因此,'觉悟便是信。'(《遗书》卷六,未注谁语,然见《明道学案》)

然而,这种"悟"的境界究竟是怎样的一种意识状态? 20 世纪以来,借助东西方文化的交流,西方的心理学者对东方哲学和"悟"的境界产生了很大的研究兴趣。③ 他们的观察和探索,提供了一个不同的角度去了解所谓"圆顿的观照境界"和其中所牵涉的问题。

若我们运用心理学的角度去描述"悟"的境界,这"悟"的境界可称为一种"非常态的意识"(altered state of consciousness),以别于我们日常生活中的"常态的意识"(ordinary state of con-

---

① 参见 Wm. T. de Bary,"Neo-Confucian Cultivation and the Seventeenth Century 'Enlightenment'"in The Unfolding of Neo-Confucianism,ed. Wm. T. de Bary(New York:Columbia University Press,1975),pp. 176~178。

② 见牟宗三:《心体与性体》(二),第 239 页。

③ 参见 J. Rowan, Ordinary Ecstasy (London: Routledge & Kegan Paul, 1976), p. 99。

sciousness)。① 在这种"非常态的意识"经验中，通常有如下的现象描述：②

1. 统摄(unity)——经验极高度的自我整合(selfintegration)（向内统摄），也经验到自我与自我以外的世界不再是主客相对的关系，而是浑然一体（向外统摄）。

2. 超越时空(transcendence beyond time and space)的新体认——对周围世界有崭新的官感。世界不再是个殊事物的组合，而是一浑然的整体(integrated and unified whole)。观者能如其所如地看世界(the world as it is)，世界不再被看做为被利用、被驱使的对象。世界变得更美善和更有崇高的价值。

3. 自我的释放——自我变得更开放（不执著、不主观），经验到彻底的自由和逍遥。能够透过以往未尝试过的新角度和新观点去理解问题和发现人生。意识方面具有高度的心意集中(tremendous concentration)而不受干扰，感受上是释放和容纳的心境(receptive mode)。

4. 吊诡性(paradoxicality)——获至跨越常态心意运作(normal intellectual operation)的高层次智慧（直觉），因此其体会是理性言语不能完全表达的(beyond rationality)。这种超越理性内涵的经历，有时被认为是不可表传的(in-

---

① 参见 R. May, Man's Search for Himself (London: Souvenir Press, 1975), pp. 138~142。

② 笔者综合下列论者的观点：Rowan, Ordinary Ecstasy, pp. 101~105; A. H. Maslow, Religions, Values, and Peak-experiences (Harmondsworth: Penguin Books, 1976), pp. 59~68; A. Greels, 'Mystical Experience and the Emergence of Creativity' in Religious Ecstasy, ed. N. G. Holm (Stockholm: Almqvist & Wiksell International, 1982), pp. 28~30, 39~43; 铃木大拙，佛洛姆：《禅与心理分析》（台北：志林，1977），第186~206页。

expressible），或只可以用吊诡性的言语的对破（language paradox）去作导向性的指点而已。

从以上描述的现象，我们可看见，明道"一本"的圆融观照境界，基本上就是一种"非常态的意识"经验。就明道的"一本"境界来说，有两个心理学的观察和发现显得特别重要：一是"解脱分解性的体认"（de-differentiation），另一是"解脱习性的历程"（de-automatization）。

按心理学者雅礼提（Silvano Arieti）的研究，寻常人在常态意识的情况下，认知的模式是运用理性，因而是倾向结构性和"分解性"（differentiation）的。然而，具备"非常态意识"层次经验的人，他们能够将自己复返至一种"最基层的认知历程"（primary cognitive process），运用**"非分解性"的**直观（intuition）和**映像**（image）**的思维方式**去把捉对象世界，从而产生一种高层次的统摄观照经验。①

"非分解性的直观"原本是属于"前意识"（preconscious）阶段的思维活动，可称为"内念"（endocept）（例如：惊讶、怀疑、忿怒等先于语言表达出来的直觉意念），以别于在有意识活动时运用的"概念"（concept）。"内念"是有意识思维未形成之前的"前意识"活动，故此是"前语言"（preverbal）的直观把捉，是非分解性（无分别相）的思维活动。具备意识训练的人，能够将此原属于基层的认知历程跃动（activate）起来，成为一种**有意识的直观思维**。这种直观思维所体验和认知的内涵，是超越分别相、非分解性，也是超语言概念的。

而所谓"映像的思维方式"原属于人的记忆经验部分。人在当

---

① 参见 S. Arieti, Creativity, the Magic Synthesis (New York, 1976)，见 Greels, 'Mystical Experience' in Religious Ecstasy, pp. 30~34, 44, 56~58 之引述。

下的认知活动是倾向分解性的(例如:每件事情的发生,是有先后的时序)。但在回忆中,以往的认知内涵就以"映像"的方式在意识中再现。映像的思维活动因为是印象性,所以是倾向统摄地把捉对象的内涵(例如:记忆起月前发生的"一件事",在回忆中整件事是以一刹那的印象呈现的,不再分解为先后的时序)。具备意识训练的人,能够将此原属于记忆体验的思维方式跃动起来,成为当下直观地统摄对象世界的历程。

总而言之,一位具备意识训练的人,可以将自己的思维接入"非常态意识"的经验中,将原本属于"最基层的认知历程"和回忆经验的"映像思维"跃动起来,成为当下有意识地统摄对象世界的直观。在这统摄的观照中,主客相对的分别相被化掉,天地万物亦成为贯通圆融无外的"一体"。这种心理学的描述,亦可作为理解明道"一本"境界的参考。

然而,究竟如何才能具备这种意识的训练?心理学者戴民(Arthur Deikman)提供了很有价值的研究,他称之为"解脱习性的历程"(de-automatization)现象。① 原来当我们的大脑接收外来信息的时候,因着每个人过往的经历、学习和社会化历程等,思维中已先存了许多既定的格套(stereotypical interpretation patterns)去过滤接收到的信息,这现象可称为"习性的过滤机能"(automatization)。因着这种习性的格套过滤机能,人往往被限制于只从某些特定的角度去把捉对象世界。而"解脱习性的历程"正是要打破这种内在格套,将认知从习性的过滤机能中释放出来。既然接收的信息资料不再被限制地安放于某些既定的框框之中,意识遂可以开启了崭新和更多不同的观点去理解事物。这就是

---

① 见 A. Deikman, 'Deautomatization and the Mystic Experience,' Psychiatry 29(1966):329～343。

"悟"的观照境界。① 佛洛姆(Erich Fromm)在《禅与心理分析》中有如下的描述：

> 非抑制状态是一种高度对事实获得直接、不偏曲的领会，再度获得儿童的单纯与自发性……觉醒的人是解脱的人，他的自由既不被他人限制，又不被自己限制。察觉到以前所未察觉之物，这个历程乃是内在革命的历程。创造性的知性思想与直觉性的直接领悟，其根源都是这真正的觉醒。②

按照戴民的研究和观察，要获得这种"解脱习性的历程"，需要经过恒久心意专注的静观和默想操练。从意识活动的角度来说，心意专注的静观和默想，是将外在及内在的干扰和激动逐渐减至最低(decreasing arousal)的经验历程。按费雪(R. Fischer)的发现，这种减低干扰和激动的历程是从身体与心境的松弛开始，然后进入内心也宁静的境界，将意识只专注于一件对象事物之上，最后取消专注的对象，但仍保持一种纯粹不受干扰的意识专注状态。至此，操练者渐进入一种浑然忘我(ecstasy)的心境之中。③ 这种浑然忘我的意识状态，在功能上可以逐步解开大脑习性的格套过滤机能。在这清朗不偏的心境之中，观者可以发现和运用更多以前未察觉的角度、层次和观点去把捉对象世界。明道亦有提及"闭目静坐为可以养心"的工夫④。并且《明道学案》附录载：

---

① 见 R. E. Ornstein, The Psychology of Consciousness (Harmondsworth: Pengiun Books, 1975), pp. 148～157。

② 铃木大拙、佛洛姆：《禅与心理分析》，第 194～195 页。

③ 见 R. Fischer, 'State-Bound Knowledge' in Understanding Mysticism, ed. R. Woods (London: Athlone Press, 1981), pp. 306～311。

④ 见《遗书》卷二下："今言有助于道者，只为奈何心不下，故要得寂湛而已，又不似释氏摄心之术。论学若如是，则大段杂也。亦不须得道，只闭目静坐为可以养心。"(未注谁语，然笔者同意庞万里：《二程哲学体系》，第 373 页的推论，判定为明道语)。

> 明道终日坐如泥塑人。然接人浑是一团和气。所谓望之
> 俨然,即之也温。

然而明道不欲以道家的"虚静",或佛家的"浮屠入定"为典范,认为他们的寂灭湛静工夫,只会把人弄得"如槁木死灰"而已。① 盖明道所倡议的,仍在于极力摆脱道佛以归回孔孟。故于"悟"前的工夫上,明道只讲"闲邪"存"诚"的"直截"方法:

> 忠信所以进德者何也?闲邪则诚自存,诚存斯为忠信也。
> 如何是闲邪?非礼而勿视听言动,邪斯闲矣。以此言之,又几
> 时要身如枯木,心如死灰?又如绝四后,毕竟如何,又几时须
> 如枯木死灰?敬以直内,则须君则君,臣则是臣,凡事如此,
> 大小大直截也。(《遗书》卷二上,未注谁语,然见《明道学案》)

按明道的见解,我们上文所述的"习性的过滤机能"是由于人被**物欲**所蔽。故所谓"闲邪"的工夫,就是对物欲的意念(例如:非礼之事,非礼之言)采取一种敏锐的**直截拨开**反应。人既不受物欲习性的所蔽,就能获得真"知"(即所谓"君是君","臣是臣")。故《明道学案》云:

> 人只为自私,将自家驱壳上起意,故看得道理小了底。

正面地说,就是:

> 观天理,亦须放开意思,开阔得心胸,便可见,打撑了习心
> 两漏三漏子。(《遗书》卷二上,未注谁语,然见《明道学案》)

可见明道将这种"解脱习性的历程"赋予了道德哲学的意义。他认

---

① 见《遗书》卷二下:"若言神住则气住,则是浮屠入定之法。虽谓养气犹是第二节事,亦须以心为主,其心欲慈惠虚静,故于道为有助,亦不然。"又卷二上:"今语道,则须待要寂灭湛静,形便如槁木,心便如死灰。岂有直做墙壁木石而谓之道?所贵乎'智周天地万物而不遗',又几时要如死灰?所贵乎'动容周旋中礼',又几时要如槁木?论心术,无如孟子,也只谓'必有事焉'。今既如槁木死灰,则却于何处有事?"(未注谁语,然笔者同意上述庞著,第357页的推论,判定为明道语)。

为是物欲令人产生"习性的过滤机能"。解开这种机能,就不但可以具备圆顿的观照,而且是见到因物欲所蔽而看不见的天理了:

> 人心莫不有知,惟蔽于人欲,则亡天理也。(《遗书》卷十一)

由此可见,"知"与"人欲"是相对的。陷溺于感官的进路,则只见分殊面貌,明道称之为"气胜"。能以超越的智慧透识"一本",就是"知"、是"理胜"。明道举示一个比方:

> 目畏尖物,此事不得放过,便与克下。室中率置尖物,须以理胜佗,尖必不刺人也,何畏之有!(《遗书》卷二下,未注谁语,然见《明道学案》)

以"理"立住生命,胜过感觉的自然倾向,就是所谓以"理胜"。故明道又言:"志可克气,**气胜**则惯乱矣。今之人以恐惧而胜气者多矣,而**以义理胜气**者鲜也。"(《遗书》卷十一)心能贞定于义理,便能一旦豁然贯通,生命亦顿然提升至一崭新的境界。而世间万事万物皆不外此"一本"而呈现,就如"静后见万物**皆有春意**"(《遗书》卷六,未注谁语,然见《明道学案》)一般的圆融潇洒。

**(二)渐悟渐修——"诚、敬、慎独"的把持工夫**

以上一节从"意识状态"转化的角度去理解明道的圆顿观照境界,指出这种境界的提升,亦有操练工夫可循,此即心意的专注,而目标则是解脱习性的格套过滤机能。总括来说,就是"闲邪"和"减"(简约)的工夫。问题是,这些工夫亦须**点点累积**,才会带来开悟。如此看来,"悟"可以是"顿悟",但"修"一定是"渐修"。方东美在论及"圆教"的境界时说:

> 〔无论〕是圆教、顿教,但是在修行方面却有一个"渐"字诀。所以我常说,一定是"渐修而顿悟"……一切精神修养很高的人,原来都是普通的人,都是凡夫,在脱离凡夫的地位之后,努力精修,然后从初地、二地、三地,循着这个精阶梯逐渐一层一层的爬上去,这个才是所谓"通教"……我们只看到历

史上有许多圣人,但圣人不是天上掉下来的,他们都是在现实世界的人间里面苦修……都是靠修炼的功夫,才可以得到最后顿悟的结果。①

不但悟之前需要有工夫,悟之后也同样需要工夫。此即"把持"的工夫。对于悟后的把持工夫,明道就说得较肯定和明显了。体悟是始点,是顿然而起的。而把持的工夫则是延续的,是维系那开悟所跃升至的境界。因而两者同样具有决定性。盖"大凡把捉不定,皆是不仁。"(《明道学案》)"把捉"就是一种维持的工夫。此明道所以谓:"勿忘勿助长之间,正当处也。"(《遗书》卷三)《定性书》的"定"字,正是此意:"所谓定者,动亦定,静亦定。"此处是指本心之贞定,牟宗三认为:

> 此处自须有一工夫,**消极地说**,使吾人之心自感性中超拔解放,不梏于见闻,不为耳目之官所蔽,而回归于其自作主宰、自发命令、自定方向之本心,**积极地说**,使此本心**当体呈现**,无一毫之**隐曲**。②

故把持的工夫亦可视之为一种**内在的拉力**。在这内在拉力的控制下,自然能动、静自如,内外两忘。明道言:

> 凡学之杂者,终只是**未有所止,内自不足也**。譬如一物悬之空中,苟无所依着,则不之东则之西。故须着摸他道理,只为自家内不足也。譬之家藏良金,不索外求。贫者见人说金,

---

① 方东美:《中国大乘佛学》(台北:黎明文化,1984),第248~249页。明道提及司马光和邵雍,谓他们二人是例外:"君实〔司马光〕之能忠孝诚实,只是**天资**,学则元不知学。尧夫〔邵雍〕之坦夷,无思虑纷扰之患,亦只是**天资**自美尔,皆非学之功也。"(《遗书》卷二上,未注谁语,然笔者同意庞万里:《二程哲学体系》,第357~358页的推论,判定为明道语)既然司马及邵两人的"天资"是例外,正反映明道相信一般人必须要"学"(工夫),才可以达到"坦夷"和"无思虑纷扰之患"的境界。

② 牟宗三:《心体与性体》(二),第236页。

便借他的看。(《明道学案》)

这里"内自足"或"家藏良金"的比喻所指,就是那一份内在的把持力。具备这把持力,就可以保持在境界的状态之中。具体而言,持守这境界的高度警觉性,就是通过"诚"、"敬"、"慎独"三方面的工夫去完成。

"诚"是将**内在生命与外在生命彻底贯通**的工夫。故明道曰:"诚者合内外之道,不诚无物。"(《遗书》卷一,未注谁语,然见沈桂:《明道全书》)根据上节的讨论,若能诚而合内外,则可以持守那"物来顺应"、"内外两忘"的心境。相反而言,"不诚则逆于物而不顺也。"(《遗书》卷十一)故诚有将**分殊统摄归一**的能力,完成生命实践中的简约取向。只是一个诚去对应万事万物,就可以处处相应。故明道曰:

> **至诚可以赞天地之化育**,则可以与天地参。赞者,参赞之义,"先天而天弗违,后天而奉天时"之谓也,非谓赞助。**只有一个诚,何助之有**?(《遗书》卷十一)

这正是明道所言的最高境界:"须是**合**内外之道,一天人,**齐**上下,下学而上达,极高明而道中庸。"(《遗书》卷三)

诚不但有统摄归一的力量,也是在最微小的事情上持守不懈。盖"体物而**不可遗**者,**诚敬而已矣**。'不诚则无物'也。诗曰:'维天之命,于穆不已,于乎不显,文王之德之纯。'纯则**无间断**。"(《遗书》卷十一)故至诚,就生命所对应的范围而言,是"不遗";就生命的持守性而言,是"无间断"。因此,诚是**贯通生命的内外**,大则可以统摄天人、万事万物,小则可以不遗而无间断。此正是把持"一本"境界的**最核心工夫**。

"敬"在明道的理解中,与"诚"的作用极接近。故明道多将"诚敬"放在一起说。例如《识仁篇》谓:"识得此理,**以诚敬存之**而已。"《遗书》卷十四言:"学要在敬也、诚也,中间便有个仁。""敬"与"诚"同样具有"不遗"、"不间断"的工夫作用:

> "天地设位而易行乎其中",**只是敬**。**敬则无间断**。(《遗
> 书》卷十一)

"无间断"是因为"敬"是一种不会因对象而转变的道德意向(moral intentionality),是一种**彻底否定受形势、功利关系支配的道德自觉**(moral self-consciousness)。故明道曾谓:"某写字时**甚敬**,非是要字好,**即此是学**。"(《明道学案》)"敬"若能做到"无间断",自然亦可以在具体诸事物的应对上"无失"与"不遗"。故若以"敬"**整顿内在生命**,则外在的道德行为自然能挺立。故明道喜引《易经》云:

> 敬以直内,义以方外,**敬义立而德不孤**。(德不孤,与物同故不孤也)(《遗书》卷十一)

能敬,生命不但"德不孤",更可以"无失":

> "中者,天下之大本。"天地之间,亭亭当当,直上直下之正理,出则不是,**唯敬而无失最尽**。(《遗书》卷十一)

可见,若"诚"是一种将道德生命内外贯通、天人无间的把持状态,"敬"就是一种不受形势、功利关系支配地("无失"、"不遗")对自己的道德自觉要求的工夫。故明道言:"诚者天之道,敬者人事之本。敬则诚。"(《遗书》卷十一)①

诚敬工夫的总全考验,就是"慎独"。故慎独并非诚、敬以外另立一种的把持工夫,而是表达把持生命的最高峰要求。故明道极重视慎独工夫的考验。如《明道学案》云:"学始**于不欺暗室**。"此段杨开沅案:"纯公**处处提倡慎独**,不待戢山也。"能慎独,则能"不须臾离道",此是诚敬之"**无闻断**"。能慎独,则能"戒慎乎其所不睹,恐惧乎其所不闻",此即事无大小皆可以"**不遗**"。故明道谓:

> 舞射,便见人诚。古之教人,莫非使之成己。自洒扫应对

---

① 参见锺彩钧:"二程道德论与工夫论述要",《中国文哲研究集刊》第 4 期(1994):12~16;以"诚"是人与天道流行合而为一的境界,而"敬"则是勉强求无间断的力行工夫。

上,便可到圣人事。**洒扫应对,便是形而上者**。理无大小故也。**故君子只在慎独**。(《明道学案》)

李承焕先生论及明道的存养工夫时指出,明道所谓的"诚"与"敬"作为存养的工夫,重点并非指某类型的"德目"(virtues),"而指专一集中之意志状态"。故此明道谓"以诚敬存之"时,是克就意志的工夫来说。① 盖"悟"虽然是一种生命的跃升,但一次的开悟,并不保证生命不会再下堕,故此意志必须经常保持在一种高度警觉性的状态之中。劳思光先生在论王阳明后学功夫问题时,即指出这是一种"念念不怠不息,永远开拓的工夫原则"。② 这种"念念不怠不息"的工夫,本身又可以成为更高一层"开悟"的修养工夫。因此,"修"、"悟"与"把持"三者是相互交替地紧扣在一起的。"修"与"把持"的工夫当然是"渐"的操练,而"悟"也不一定一生只有一次。故"开悟"也可以是不断、多次跃升的历程,而天理之朗现亦是永不止息地开展呈现在人的道德体验之中。从这个角度来说,也可称为"渐悟"。秦家懿女士在论及"王学"的总结中对"悟"与"修"的见解,也可以用来理解明道"一本"的工夫历程:

> 王阳明的一生,有过多次的"悟"。可是他所发明的成圣方法,却不是得悟的方法,而是渐修的方法。原来"顿悟"是无法可求的,只有渐修以待之而已……渐修功夫只是令之由隐而显,就如明镜自然反照万物一般。所以阳明也不将"悟"与"修"分开。笔者相信他认为,"悟"不一定要"顿",也可以通过"渐修"而来:所谓"渐修渐悟",不是不承认"顿悟",而是融会

---

① 见李承焕:"程明道思想中'价值'之根据与其实践的问题"(台大哲学研究所硕士论文,1984),第95~97页。

② 见劳思光:"王门功夫问题之争议及儒学精神之特色",《新亚学术集刊》第三期(1982)抽印本:第17~18页。

"悟"与"修"。①

---

① 秦家懿:《王阳明》(台北:东大图书公司,1987),第190~191页。

# 第三章　程伊川之致知与涵养工夫

## 一、引言——伊川工夫论之一般性格

一直以来，论者喜欢将程氏兄弟二人作比较，以求其异同。盖二人虽为兄弟，而性格互异。就是他们自己，也有如此自觉。①《河南程氏外书》亦载不少其门人对兄弟二人不同性情的比较观察。② 一般而言，兄弟二人于待人接物、以致论学风格的相异，可以黄百家在《宋元学案》卷十三之《明道学案》(上)一段话表达出来：

---

① 《外书》卷十二载："伯淳谓正叔曰：'异日能尊师道，是二哥。若接引后学，随人才成就之，则不敢让。'"此可见明道自觉其不同于伊川。又，《宋元学案》"伊川学案"之"附录"载："二程随侍太中知汉州。宿一僧寺。明道入门而右，从者皆随之。先生〔伊川〕入门而左，独行。至法堂上相会。先生自谓：'此是某不及家兄处。'盖明道和易，人皆亲近。先生严重，人不敢近也。"此可见伊川亦自觉其不同于明道。

② 例如《外书》卷十一："明道先生每与门人讲论，有不合者，则曰'更有商量'，伊川则直曰不然。"卷十二："伊川与君实语，终日无一句相合；明道与语，直是道得下。"("上蔡语录"所记) 又，"明道犹有谑语，若伊川则全无……伊川直是谨严，坐间无问尊卑长幼，莫不肃然。"("震泽语录"所记)

顾二程子虽同受学濂溪,而大程德性**宽宏**,**规模阔广**,以光风霁月为怀;二程气质**刚方**,文理密察,以削壁孤峰为体。其道虽同,而造德自各有殊也。①

明道的工夫论较着重圆顿的观照境界,而伊川则**精确**而严谨,着重**深细**的工夫。故朱熹亦谓伊川"较子细"、"收束检制"和"严毅"。②又谓"伊川之言,即事明理,质悫精深,尤耐咀嚼。"③如此深细的工夫进路,使伊川特别关注"如何可能"(how)的问题,而贬抑好高骛远的话头。《遗书》卷十五伊川言:

> 古之学者,优柔厌饫,有先后次序。今之学者,却只做一场话说,务高而已。常爱杜元凯语:"若江海之浸,膏泽之润,涣然冰释,怡然理顺。"然后为得也。今之学者,往往以游、夏为小,不足学。然游、夏一言一事,却总是实。好子路、公西赤言志如此,圣人许之,亦以此自是实事。后之**学者好高,如人游心于千里之外,然自身却只在此**。④

真正的工夫进路,应该是由小处渐进,步步踏实、点滴积累而得。这才是一种"**实见**",与"耳闻口道"的"**说得**"是对立的。故伊川云:

> **实理者,实见得是,实见得非**。凡实理,得之于心自别。若耳闻口道者,心实不见……至如执卷者,莫不知说礼义。又如王公大人皆能言轩冕外物,及其临利害,则不知就义理,却就富贵。如此者,**只是说得,不实见**……昔若经伤于虎者,他人语虎,则虽三尺童子,皆知虎之可畏,终不似曾经伤者,神色

---

① 董金裕在其《宋儒风范》(台北:东大图书公司,1979)中"敬义夹持,相反相成的二程兄弟"一节(第37~46页)有很好的比较概述。亦可参程兆熊:《大地人物——理学人物之生活的体认》中描述程明道、程伊川两章(第45~68页),《完人的生活与风姿》(台北:大林,1978)。
② 见《朱子语类》卷九十三。
③ 《朱子全书》卷三十一答张敬夫。
④ 参见《遗书》卷十五:"今之语道,多说高便遗却卑,说本便遗却末。"

慊惧,至诚畏之,是**实见得也**。(《遗书》卷十五)
这种踏实、实见的步步进迫工夫,我们无必要肯定是伊川为了矫正明道之境界性的教学方法而提出。①但可以肯定的是,对于明道那种似乎"不由工夫阶级而得,乃亦无工夫阶级可寻"的境界性指点,②在学圣上伊川是提供了一套理路清明的成圣之道的进路。

具体而言,伊川的成圣之道,总括于他所言"涵养须用敬,进学则在致知"(《遗书》卷十八)这句话所展开的义理规模。

## 二、伊川格物穷理致知工夫之疑难

### (一)"格物穷理致知"的道德实践意义

伊川言"格物"、"致知"与"穷理",目的并非纯粹作为一种知性的增加,乃指向**道德生命的提升**。因此是落在修养论和工夫论的范畴,而非纯粹知识论的思辨问题。③

这种说法,在伊川的语录中有明显的佐证。《遗书》卷二十五谓:"自**格物**而充之,**然后可以至圣人**。"又言:"天下之**理得**,**然后可以至圣人**。"可见伊川的格物、穷理工夫,是以"至圣人"为目标。因此伊川谓"进学则在致知"时,其所指的"学",不单是指知性资料的增加,而是必以"为圣人"作最终目的:"言**学**便以**道为志**,言人便以

---

① 参见管道中:《二程研究》(上海:中华书局,1937),第59~60页之见解。

② 钱穆:《朱子新学案》(台北:三民,1971),第三册,第127页。

③ 参见冯耀明:《'致知'概念之分析——试论朱熹、王阳明致知论之要旨》(新加坡:东亚哲学研究所,1986),第1~8页论"同质区分的误用"(misuse of homogeneous distinction),澄清了宋明儒学中所谓"闻见之知"与"德性之知"之不同范畴区分。亦见刘象彬:《二程理学基本范畴研究》(开封:河南大学出版社,1987),第121~124页,论二程的"致知、穷理"是以"至善"为目的、归宿。

圣为志。"(《遗书》卷十八)

　　既然伊川认为致知穷理是以道德生命的提升为最终目标,其所谓格物的"物"、致知的"知"及所穷理的"理",就当然并非单指外在客观宇宙的"物理",而是广涉于道德生命的学问。故《遗书》卷十九载：

> 问："格物是外物,是性分中物?"曰："不拘。凡**眼前无非是物,物物皆有理**。如火之所以热,水之所以寒,至于君臣父子皆是理。"

此处可见,"格物"指客观宇宙("火之热,水之寒"),也指道德关系的世界("君臣父子间")。

　　但重要的是,伊川在陈述其方法论时,并不将理解客观宇宙之"物理"、与理解道德世界之"事理"严格分开。而他所谓的"物",可泛指**一切理解的对象**——"凡眼前无非是物"、"物者,凡**遇事**皆物也。"(《外书》卷四)故"格物",就其方法论及理解对象而言,是涵盖客观宇宙事象和道德世界事象的。

　　对伊川而言,"格物"与"穷理"几乎是同义。① 故《遗书》卷二十五谓："**格**犹**穷**也,**物**犹**理**也,犹曰穷其理而已也。"又载："又问：'如何是**格物**?'先生曰：'格,至也,言**穷**至**物理**也。'"(《遗书》卷廿二上)既然"格物"于"物理"及"事理"无严格分别,"穷理"亦应涵盖客观宇宙的事象和道德世界的事象,伊川因而可以谓："穷理亦**多端**：或读书,讲明义理；或论古今人物,别其是非；或应接事物而处其当,皆穷理也。"(《遗书》卷十八)纵然伊川言"穷理",多指道德

---

① 劳思光：《中国哲学史》(卷三上),第264页："直以'穷理'与'格物'字字相应而说之……是伊川独有之立场。"

## 第三章　程伊川之致知与涵养工夫

生命范围而言,①但"穷理"亦可泛指一般所言的客观宇宙之"物理"。例如《遗书》卷十五,伊川论及医药之"理",谓:"医者不诣理,则处方论药不尽其性〔按:此处的'理'与'性'只就物理与药性而言,非泛指道德生命的'理'与'性'〕,只知逐物所治,不知合和之后,其性又如何?……古之**穷**尽**物理**,则食其味,嗅其臭,辨其色,知其某物合某则成何性。"可见,于伊川而言,"穷理"与"格物"同样是涵盖客观宇宙的物理与道德世界的事理。

但问题就落在"致知"了。原则上,"格物""穷理"的结果,于伊川,就是"致知":"致知,尽知也。**穷理格物,便是致知。**"(《遗书》卷十五)。故此,"格物"、"致知"、"穷理"三观念之贯通,是自然的结论。② 然而,伊川却顺着张横渠的观点,严格界分"闻见之知"与"德性之知"两种"知":③

> 闻见之知,非德性之知。物交物则知之,非内也。今之所谓博物多能者是也。德性之知,不假见闻。(《遗书》卷二十五)④

问题是,"格物、穷理"的对象既然是广泛地涵盖"一切具体存在、性质、关系、活动、行事"⑤,但作为格物穷理所达至的境界的"致知",

---

① 此类语录甚多,兹录数条:"**穷理**尽性至命,只是一事。才穷理便尽性便至命。"(《遗书》卷十八)"**理**也,性也,命也,三者未尝有异。**穷理**则尽性,尽性则知天命矣。"(《遗书》卷二十一下)

② 参见劳思光:《中国哲学史》(卷三上),第264页。

③ 参见《正蒙》"大心篇"卷七:"见闻之知,乃物交而知,非德性所知。德性所知,不萌于见闻。"又谓:"诚明所知,乃天德良知,非闻见小知而已。"(《正蒙"诚明篇"》卷六)。

④ 参见《粹言》卷二"心性篇":"见闻之知,乃物交而言,非德性所知。德性所知,不待于闻见。";又云:"闻见之知非德性之知,德性所知,不假闻见。"

⑤ 岑溢成:《大学义理疏解》(台北:鹅湖,1985),第69页。

却严格地区分"德性之知"与"闻见之知",则伊川如何理解这**延续**与**界分**之间的矛盾?究竟伊川所言"格物穷理致知"的"知",是单指"德性之知"?抑包括"闻见之知"?是否"闻见之知"于伊川的意义和价值,只是令道德实践成为可行的"必要条件"的一种"认知思解的知识活动"而已?① 要回答这一连串的问题,我们必须对伊川言"格物、致知"有进一步在文献及理论架构上的研究,此即为以下数节的主要课题。

**(二)疏解伊川"格物、致知"工夫的偏差**

疏解伊川的"格物致知"工夫,容易犯上两种偏差。一是表面地将"格物穷理"工夫类比于近代西方的科学归纳法。一是过分用朱熹对"格物致知"的认知系统去套入伊川对"格物致知"的理解,犯了在诠释上将历史先后倒置的偏差。以下分别按次讨论和厘清这两种偏差。

(1)将伊川"格物穷理"工夫类比于近代西方的科学归纳法

论者误将"格物穷理"工夫类比于近代西方的科学归纳法,②是由于表面地理解伊川所言"人要明理,若止一物上明之,亦未济事,**须是集众理,然后脱然自有悟处**"(《遗书》卷十七)几句,以为就是"西洋哲学"中的"归纳法"。③

我们可以借用狄尔泰(Wilhelm Dilthey)对"自然科学"(Naturwissenschaften)与"人文研究"(Geisteswissenschaften)之

---

① 冯耀明:《'致知'概念之分析》,第25~26页。参戴琏璋:"德性之知与见闻之知"一文,载于《牟宗三先生的哲学与著作》(台北:学生书局,1978),第704页:知识是一切道德行为的"必要性""条件"。

② 例如罗光:《中国哲学思想史(三)》(台北:先知,1976),第398页。A. C. Graham, Two Chinese Philosophers: Ch'êng Ming-tao and Ch'êng Yi-ch'uan (London: Lund Humphries, 1958), p. 79。

③ 罗光:《中国哲学思想史(三)》,第397~398页。

间的界分去厘清这误解。① 据狄尔泰的理解,"人文研究"与"自然科学"在理解的**课题**、理解的**目的**和理解的**进路**方面,都有基本的分别。②

首先是理解的**课题**。虽然伊川言"一草一本皆有理"(《遗书》卷十八),但论及具体的穷理之道时,则举出"读书"(读圣贤典籍)、"论古今人物,别其是非"(从历史人物的际遇及行传获得生命的启迪)及"应接事物而处其当"(待人接物之道)。③ 借用狄尔泰的界分,伊川穷理的课题重点,皆在于理解人文世界中人的生命体验(Erlebnis)和这生命体验的呈现(Erlebnisausdrücke)方面。④ 故理解的内涵,是人类心灵所展开的人文世界(geistige Welt),而并

---

① 将德文'Geisteswissenschaften'翻译成"人文研究"须要作点补充的解释。首先是狄尔泰一如黑格尔,赋予'Geist'较广阔的意义——泛指一切人类心智的成果,接近中文"人文"一词。而'Wissenschaft'的翻译,则基于狄尔泰强调'Geisteswissenschaften'具有其自身独特的理解(Verstehen)方法和进路,而不一般性地译作"科学",以免引起现代英语'science'一词带来的联想。译作"研究",可以涵盖更阔的方法论。H. P. Rickman 在其 <u>Wilhelm Dilthey: Pioneer of the Human Studies</u>(London: Paul Elek, 1979)一书亦将'Geisteswissenschaften'翻译作'human studies',与笔者所持见解较近。参见该书,第59~63页。

② Ramon J. Betanzos 在其英译狄尔泰著 Einleitung in die Geisteswissenschaften(1833)一书"序言"中谓将"人文研究"与"自然科学"界分开,是狄尔泰一生的使命。见 id., <u>Introduction to the Human Sciences</u>(Detroit: Wayne State University Press. 1988), p. 31。

③ 《遗书》卷十八。亦参见本章第88~90页。

④ 见 W. Dilthey, <u>Gesammelte Schriften</u>〔ed. B. Groethuysen,缩写作 GS〕, Vol. 7: Der Aufbau der geschichtlichen Welt in den Geisteswissenschaften(Stuttgart: B. G. Teubner Verlagsgesellschaft, 1965), pp. 138~152, 191~220。

非纯粹外在客观陈列的现象和经验素材(aüssere Erfahrung)而已。①

另就理解的**目的**方面,伊川的"格物穷理"并非旨在发现或纯粹描述某些物理原则,而是以"至圣人"为大方向。伊川言:"随事观理,而天下之理得矣。天下之理得,然后可以**至圣人**。"(《遗书》卷廿五)又云:"自格物而充之,然后可以**至圣人**。"(同上)这种将学问直接联系于"生命实践"(Praxis des Lebens)的特质,狄尔泰认为正是"人文研究"相异于"自然科学"的地方。② 亦正是由于理解的目的是在于道德生命的实践,理解的结果也必然具有**价值判断**的**评述**,而非只是抽象地描述一些事物的现象而已。③ 这种具有价值判断的理解结论,尤见之于伊川论古今人物的言论(详见下文)。既然"穷理"与道德价值判断不可分,故伊川能言"穷理尽性至命,只是一事"(《遗书》卷十八),因而"格物之理,不若**察之于身,其得尤切**"。(《遗书》卷十七)

再就理解的**进路**(方法论)而言,伊川之"格物穷理"亦显然与将客观资料累积的归纳法有极不相同的意向。借用普朗丁格(Theodore Plantinga)所言,"人文研究"是充量**个殊化**的科学进路(individualizing sciences),而"自然科学"却尽量运用**普遍化**的方

---

① 见 Dilthey, GS, Vol 1: Einleitung in die Geisteswissenschaften, pp. 4~21 及 GS, Vol. 5: Beiträge zum Studium der Individualität, pp. 242~258。及 Ideen über eine beschreibende und zergliedernde Psychologie, pp. 139~153。亦参见 M. Ermarth, Wilhelm Dilthey: The Critique of Historical Reason(Chicago: University of Chicago Press, 1978), pp. 97~100。

② 见 Dilthey, GS, Vol. 7, Aufbau, pp. 316~317。

③ 见 Rickman, Dilthey, p. 64; Ermarth, Dilthey, pp. 107~108。

法(generalizing method)。① 例如伊川论"由经穷理"之学,认为读圣贤经典(例如《春秋》),"**一句**是**一事**,是非便见于此,**此亦穷理**之**要**。"(《遗书》卷十五)同样地,要求资料**重复**累积的归纳法,当然亦不可能用之于体察**历史**人物(因为历史的研究是没有可能用重复实验的自然科学方法去进行的)。然而伊川却谓:"**读史**须见圣贤所存治乱之机,贤人君子出处进退,**便是格物**。"(《遗书》卷十九)

从以上的辨解,我们可见伊川的"格物穷理"工夫与自然科学中的归纳法是具有本质上的差异。将两者表面地类比,是一种偏差。当然,以上只是指出伊川"格物穷理"工夫与科学归纳法之间的差异,至于伊川"格物穷理"的具体内涵,则于下文详细交待。

(2) 将朱熹的"格物致知"论套入伊川的理解之中

另一种疏解伊川"格物穷理致知"所犯的偏差,就是过分地将朱熹的"格物致知"论套入伊川的理解之中,从而盖过了伊川对"格物致知"工夫的独特意向和贡献。首先,持这观点的论者强调伊川与朱熹属于同一理学系统(横摄系统),以突显其与以陆象山和王阳明共倡的"纵贯系统"的分别及对立面。②

诚然,朱熹自觉地承传及推崇伊川的哲学,是不争的事实。但若以此就将伊川的哲学意向及思维等同于朱熹,将**后来**的朱熹之理、气严格二分的系统和他对"格物穷理"分解性的意向套入在他**之前**的伊川的哲学,就一方面犯了时序上的倒置,也抹杀了伊川哲

---

① T. Plantinga, Historical Understanding in the Thought of Wilhelm Dilthey (Toronto: University of Toronto Press, 1980), p. 29, 参见同书, p. 35~39。

② 参见牟宗三:《心体与性体》第二册(台北:正中书局,1975),第251~410页(论"程伊川的分解表示"章)。牟宗三于此章中尽量引用朱熹的哲学系统去疏解各条伊川语录,强调伊川与朱熹在理学上的同系。亦参见牟宗三:《心体与性体》第一册(台北:正中书局,1968),第42~60页(论"宋明儒之分系"一节)。

学的物质及贡献。笔者赞同"朱子确是伊川之功臣"及"伊川所开之端绪俱为其所完成而皆有确定之表示。"①但因此就肯定程伊川与朱熹"心态相应,其思路相同"和"贯彻而一贯",②则未必。尤其是以朱熹所展开的宏大而精微的系统,去等同于伊川思维的洞悉,而定论伊川是属于与"先秦儒家原有之纵贯系统"对立的"横摄系统",进而判之为"'静摄存有'之实在论的情调之他律道德",③就过于轻视伊川自身的独特性了。此论既然认为,伊川的存有论与朱熹一贯地都是"静摄存有"的实在论、和分解性的"横摄系统",就自然亦一并地将伊川的"格物穷理"工夫放入朱熹"即物而穷其理"的格局中去理解。结果,伊川的"致知穷理"工夫就被看为如朱熹一般的只是对那"超越的所以然之理"的"反躬",故此是"静涵静摄之横列型"、"泛认知主义的格物论"了。④

当然,要察识伊川"格物致知"工夫的独特性,有待下文详细交待。在此笔者只简略指出,伊川虽与朱熹在学理上有极多相同处,但他们之间有差异,亦是不争的事实。⑤ 首先是二人对"理"的体

---

① 牟宗三:《心体与性体》(二),第255页。
② 同①。
③ 同①,第258页。
④ 同①,第392～403页。
⑤ 程朱差异,自明末已为学者如刘蕺山、黄梨洲及汪石潭等提出。参见何炳松:《程朱辨异》(香港:存萃学社,1971;原刊于《东方杂志》第27卷9～12号),第8页。

会和理解。朱熹将理与气、形上与形下严格界分,①这是他将张横渠以来北宋儒者对理、象、物等天道论尽力厘清的成果。② 然而对于伊川的哲学自身看,则没有足够的证据定论他是持"理气二元论"。正如日人市川安司在其著《程伊川哲学の研究》中就支持常盤大定《支那に于ける佛教と儒教道教》一书对伊川"理气论"所作的结论,说:

> 据常盤博士的见解,若如断定伊川之哲学为理气二元论的话,则〔在疏解上〕必会常出现矛盾……如前指出,伊川的"理",一面有"道理"的意思。然而,若以此意思,就在"理"对比于"气"的基础上建立"理气二元论"的话,未免是过于草草作出结论了。③

对伊川有关文献作仔细疏解及研究后,市川安司结论谓,若只是按照对朱熹二元论的解释,去应用于伊川对理气关系的理解,是"危险"的。市川安司认为,"毕竟伊川的哲学焦点是在于究明'理'。此外,在探求'理'方面,并非如朱熹哲学所提出的以'理'对比于'气'。〔伊川〕乃是寻索事物间的理,而以此付诸于实践。至于'气'方面,确实与事物的发生有关连;即是说,〔气〕具有物质的性格。然而,在伊川的著作中,提及气的部分,仍占整体的极少部分

---

① 此类文献甚多,兹引两段。《朱子大全》卷四十六"答刘叔文"第一:"所谓**理与气**,此**绝是二物**。但在物上看,则二物浑沦,不可分开各在一处,然不害**二物各为一物**也。"《朱子大全》卷五十八"答黄道夫"第一:"天地之间有理有气。**理**也者,**形而上之道也,生物之本也**。**气**也者,**形而下之器也,生物之具也**。"亦参见刘述先:《朱子哲学思想的发展与完成》(台北:学生书局,1984),第269~354页"朱子理气二元不离不杂的形上学"章。

② 参见张立文:《中国哲学范畴发展史(天道篇)》(北京:中国人民大学出版社,1988),第560~566页。

③ 市川安司:《程伊川哲学の研究》(东京:东京大学,1964),第41页。

而已。可以说,〔他〕是倾向于在〔具体〕事物中求其中的道理。"① 当然市川的观点,可能仍有商榷的余地。但他的研究指出,伊川的理气哲学,并未发展出日后朱熹的严格二分系统,则基本上是可以接受的。从这个观点出发,我们较能明白《遗书》卷十八伊川可以较笼统地说:

> **天下只有一个理**。既明此理,夫复何障?若以理为障,则是己与理为二。

又云:

> 一言以蔽之,不过曰**万理归于一理也**。②

徐复观在"程朱异同"一文中亦指出,程伊川是"平铺地人文世界",与朱熹的"贯通地人文世界"是相异的。所谓"平铺"的人文世界,就是以一"理""平铺于人与物之列,为人物所共有。站在人的立场而言,便称为人理;站在物的立场而言,又可称为物理。人理物理,总名之曰理或天理"③。因而伊川基本上是不强调形上形下的相对,"理"就当下存在于事物之间。④ 故曰"形而上者,存于洒扫应对之间。理无大小故也"⑤。

既然伊川的存有论并非是严格理气二分的格局,我们亦能理解他为何可以说"**事理一致**、**微显一源**"了。⑥ 至于"体用"之间,他

---

① 市川安司:《程伊川哲学の研究》(东京:东京大学,1964),第 51 页。亦参同书,第 5~68 页"伊川哲学研究的根本的立场"章。
② 参见《程氏粹言》卷一"论道篇":"今一言以蔽之曰,万物一理耳"。
③ 徐复观:"程朱异同——平铺地人文世界与贯通地人文世界",《中国思想史论集续编》(台北:时报,1982),第 588~593 页。
④ 同③,第 594~596 页。
⑤ 《粹言》卷一"论道篇"。
⑥ 《遗书》卷廿五:"至显者莫如事,至微者莫如理。而事理一致、微显一源。古之君子所谓善学者,以其能通于此而已。"

亦可说"体用一源,显微无间"。① 若然是伊川认为"事理一致"、"体用一源",他就可以从"动"的角度去理解"理"。故《周易程氏传》卷三解"恒"卦云:

**天下之理,未有不动而能恒者也。**动则终而后始,所以恒而不穷……惟随时变易,乃常道也。②

故有论者以"超越的""静涵静摄"模型去定论伊川对"理"的了解,就显得有点独断了。其实,伊川这种认为"理"就是在当下具体事物中呈现的观点,对我们理解他的"格物致知"工夫很重要。③ 总而言之,朱熹"即物而穷其理"的格局,与伊川的"格物穷理致知"工夫并不完全相同。因此我们须要对伊川关于"格物致知"方面的讲论作独立的整理和消化,看出其中的独特面貌和贡献。④

(3) 伊川"格物致知"工夫的不同层次

以上检讨了学者疏解伊川"格物致知"工夫时容易犯的两种偏差。

但在以下详细展开对伊川"格物致知"工夫的整理和疏解之前,笔者必须简略指出,一般对伊川"格物致知"研究的论者都普遍忽略的一点,就是不察觉伊川"格物致知"之学作为成圣的工夫,其实具有**不同的层次**,而并非**一种方法**而已。由于这些不同的格物致知层次和对象事物,我们应该用不同的方法去处理,而不必要将伊川的"格物致知"论划一地规限、统摄于一套方法论之中。因此,若能厘清伊川不同层次、对不同事物的"格物致知"工夫,不但可以

---

① 《周易程氏传》"易传序":"至微者理也,至著者象也。体用一源,显微无间。"此是伊川写《易传》的基本信念。亦参徐复观:"程朱异同",第602~607页。

② 参见《粹言》卷一"论道篇":"子曰:静中有动,动中有静。故曰动静一源。"又云:"子曰:动静无端,阴阳无始。非知道者,孰能识之?"

③ 详见本书第111~123页。

④ 此即本章第三节(第73~126页)所尝试的探索。

体会他"格物致知"工夫的丰富,也较容易去消解如何由"闻见之知"转化出"德性之知"的困难(详见下文)。

伊川在陈述具体格物穷理致知方法时,列举出四种不同的对象事物和方向。《程氏粹言》卷一"论学篇"载:

> 或问:"学必穷理。物散万殊,何由而尽穷其理?"子曰:"**诵诗、书,考古今,察物情,揆人事。**反复研究而思索之,求止于至善,**盖非一端而已也。**"又问:"泛然,其何以会而通之?"子曰:"求一物而通万殊,虽颜子不敢谓能也。夫亦积习既久,则脱然自有该贯。**所以然者,万物一理故也。**①

在此,伊川明确表示,穷理格物的进路**不必**亦**不能**从单一方面入手。"不必"是因为"万物一理",故"如千蹊万径,皆可适国"。②"不能"是因为以为"求一物而通万殊",则"虽颜子不敢谓能也"。

按伊川的见解,"格物穷理致知"的工夫,在实践上可有四方面的进路。1.通过读圣贤典籍去提升自己的道德生命:此即所谓"诵诗、书"和"读书,讲明义理"。2.体察历史人物的经历以把握为圣之道:即所谓"论古今人物,别其是非"。3.透过待人接物的生活以操练道德生命的实践:即所谓"揆人事"和"应接事物而处其当"。

---

① 此段虽出自《粹言》,但对观《遗书》卷十八云:"或问:'进修之术何先?'曰:'莫先于正心诚意。诚意在致知,"致知在格物"。格,至也,如"祖考来格"之格。凡一物上有一理,须是穷致其理。**穷理亦多端:或读书,讲明义理;或论古今人物,别其是非;若应接事物而处其当,皆穷理也。**'或问:'格物须物物格之,还只格一物而万理皆知?'曰:'怎生便会该通?若只格一物便通众理,虽颜子亦不敢如此道。须是今日格一件,明日又格一件,积习既多,然后脱然自有贯通处。'"《粹言》所载该段,从论点(例:穷理之多端及具体入路、引颜子为例破格一物而通众理说)及结构铺陈看,应出自伊川语。上引《粹言》该段最后谓"万物一理"之说,亦可在《遗书》卷十五找到对观:"**所以能穷者,只为万物皆一理。**至如一物一事,虽小,皆有是理。"

② 《遗书》卷十五。

4. 观天地万物气象而感应德性生命的义理：此即所谓"察物情"的致知工夫。

从"诠释学"的角度看，伊川的所谓"致知"（或"理解"Verstehen），是一种"诠释"（Auslegung）的过程。① 在这广义的诠释观点来说，诠释的对象是不单只局限于用文字书写记录下来的"文本"（text）而已，而是涵盖人生经验中的一切事物。② 故此，我们可以看见，伊川的格物致知工夫中的对象事物，无论是圣贤典籍、历史人物、生活应对，甚至天地万物气象，都可以视为诠释的对象，让我们运用广义的诠释观点去理解和研究。

当然，这种将一切生命经验的事物皆视作诠释对象的广义观点，亦须要进一步仔细地按不同的"致知对象"（Gegenstand des Verstehens）而循**不同的方式**去处理。贝蒂（Emilio Betti）就提醒我们，在诠释的过程中，要注意该诠释对象的"自身内在律则"（"Kanon der hermeneutischen Autonomie des Objekts"或称为

---

① 例如：M. Heidegger, <u>Being and Time</u> (Oxford: Basil Blackwell, 1978), §7 "The phenomenological method of investigation"(pp. 49~63)。亦参见 H. G. Gadamer, <u>Truth and Method</u> (New York: Seabury Press, 1975), "Foreword to the second edition" (p. xviii), "Heidegger's temporal analytics of human existence (Dasein) has, I think, shown convincingly that understanding is not just one of the various possible behaviours of the subject, but the mode of being of There-being itself. This is the sense in which the term 'hermeneutics' has been used here. It denotes the basic being-in-motion of There-being which constitutes its finiteness and historicity, and hence includes the whole of its experience of the world."

② 这里所谓"广义的诠释观点"是指 M. Heidegger, H. G. Gadamer, R. Bultmann, E. Fuchs, G. Ebeling 等人所倡导的见解，将一切人类认知的经验（event of understanding），皆视为诠释的过程。参见 R. E. Palmer, <u>Hermeneutics</u> (Evanston: Northwestern University Press, 1969), pp. 46~71 的归类。

"Kanon der Immanenz des hermeneutischen Maβstabs")。因为不同的对象事物,具有它们独特的内在逻辑律则和关联方式,诠释者不能只用单一种的外在规范去套进去。① 就以伊川的格物致知工夫来说,诠释的对象有文献典籍(texts)、有历史情境(historical happenings)、有生活体验(life experiences)及自然宇宙事象(natural world)等四方面不同的领域。虽然它们都可以视为诠释经验中的对象,也以道德生命的提升为终极目标,但它们各自在诠释方式上,则具有不同的哲学问题,必须分别地处理。前三项的诠释对象(文献典籍、历史情境、生活体验),可纳入贝蒂所谓"有意义的形式"(sinnhaltige Formen),是人类心灵客体化(Objektivationen des Geistes)的表达式。② 而第四项的诠释对象(自然宇宙事象),虽然不能视为人类心灵创造的表达式,但从伊川的"事理一致"存有论来说,天地万物的气象,都是具道德性的"理"的客体化表达式。从广义诠释立场来说,仍可纳入诠释经验去处理。③

以下就分节去处理伊川"格物穷理致知"的不同层次,及其如何作为成圣工夫的哲学问题。

---

① 参见 E. Betti, *Die Hermeneutik als allgemeine Methodik der Geisteswissenschaften* (Tübingen: J. C. B. Mohr, 1962), pp. 14～15。亦参见 id., *Allgemeine Auslegungslehre als Methodik der Geisteswissenschaften* (Tübingen: J. C. B. Mohr, 1967), §16 Hermeneutische Kanons: a) "Eigenstäandigkeit des Objekts und Immanenz des hermeneutischen Maβstabs"(pp. 216～219)。在此书中,贝蒂就分别罗列了对文献、历史、翻译、戏剧、音乐、法律、神学、心理现象等领域的不同诠释方式和哲学问题。

② 参见 Betti, *Hermeneutik*, pp. 7～9; id., *Augslegungslehre*, pp. 42～46。

③ 参见本书第71页注②。

## 三、伊川"格物、致知"之现象学与本体学的诠释

### (一) 通过读圣贤典籍去提升自己的道德生命

通常我们提及伊川所谓的"穷理",多意指他对万物察识的工夫。然而,在《遗书》卷十五伊川却直言"由**经**穷理"。显见"**读经**"在伊川的穷理工夫中,是占有一独特的角色。① 但究竟如何可以由读经而达至穷理?就是本节所要探讨的课题。

伊川所谓读经的"经",当然并非泛指一般文章,而自有其特定的选取。根据伊川自己的见解,读经当以《论语》和《孟子》为首选,因为此二经是其他经籍的基础和权衡标准。故曰"学者当以《论语》、《孟子》为本。《论语》、《孟子》既治,则《六经》可不治而明矣。"(《遗书》卷廿五)②另外,《大学》亦是伊川极力推崇的作品。《遗书》卷廿二上载伊川弟子唐棣初见先生时问"初学如何?"答曰:"入德之门,无如《大学》。今之学者,赖有此一篇书存。其他莫如

---

① 《遗书》卷一载:"正叔先生曰:'治经,实学也。譬诸草木,区以别矣。道之在经,大小远近,高下精粗,森列于其中……人患居常讲习空言无实者,盖不自得也。**为学,治经最好。**'"

② 《遗书》卷十八云:"学者先须读《论》、《孟》。穷得《论》、《孟》,自有个**要约处**,以此观他经,甚省力。《论》、《孟》如**丈尺权衡**相似,以此去量度事物,自然见得长短轻重。"

《论》、《孟》。"①除以上三书外,伊川亦提及《中庸》②及《诗经》③。

(1) 读书与道德生命的提升:所读何书?

综观伊川列出四书及《诗经》作为读经的选择,目的非旨在要门人作纯学术的研究和疏解。其重点乃在于通过读圣贤典籍而把捉圣贤气象,进而提升自己的道德生命。《遗书》卷廿二上载门人以《论语》问教于伊川,伊川曰:

> 凡看文字,非只是要理会语言,**要识得圣贤气象**……若读此不见得圣贤气象,他处也难见。学者须要理会得圣贤气象。④

所谓"圣贤气象",就是崇高道德生命的表现和实践。在此,读圣贤书、识得圣贤气象以及在自身生命中实践圣贤气质是不可分的同一回事。《遗书》卷十九载伊川曾慨叹"今人不会读书",因为今人

---

① 参见《遗书》卷廿四:"修身,当学《大学》之序。《大学》,圣人之完书也。"

② 《遗书》卷十五:"尝语学者,且先读《论语》、《孟子》,更读一经,然后看《春秋》。先识得个义理,方可看《春秋》。《春秋》以何为准?无如《中庸》。"又云:"《中庸》之书,决是传圣人之学不杂。子思恐传授渐失,故著此一卷书。"本节暂不将《春秋》归入《论》、《孟》之类,而待下一节论历史人物之穷理中才处理。盖此亦符合伊川分别《诗》、《书》等为"圣人之道",而《春秋》则为"圣人之用"(《遗书》卷二十三)。

③ 《遗书》卷十八载:"问:'《诗》如何学?'曰:'只在《大序》中求。《诗》之《大序》,分明是圣人作此以教学者,后人往往不知是圣人作。"又《遗书》卷十九云:"'用之乡人焉,用之邦国焉。'如《二南》之诗及《大雅》、《小雅》,是当时通上下皆用底诗,盖是修身治家底事。"故可见《诗经》在伊川的理解中,亦是进德的入门。另外,对伊川而言,《易经》当然亦是最重要的穷理典籍之一,故此而为其作传。然而伊川关于《易》的体会和研究,笔者将留待"观天地万物气象"一节详论。

④ 参见《遗书》卷十五:"学者不学圣人则已,欲学之,须熟玩味。圣人之气象,不可只于名上理会。如此,只是讲论文字。"

无论是诵读了《诗经》或读了《论语》,都不见得自身道德生命起变化和改变(所谓"读了后全无事者")。如此读经,于伊川而言,是未算读过经。正确的读经,须是:

> 未读《诗》时,授以政不达,使四方不能专对;**既读《诗》后,便达于政,能专对四方,始是读《诗》**……须是未读《周南》、《召南》,一似面墙;**到读了后**,便不面墙,方是**有验。大抵读书,只此便是法。如读《论语》**,旧时未读是这个人,及读了后又只是这个人,便是不曾读也。

在这种即知即行的观点下,①对圣贤典籍的诠释和理解,本身就是一种生命的转化(self-transformation)的历程。② 在此,诠释(hermeneutics)并不狭义地只视作人类认知活动的其中一种——对文本(texts)的解释方法(Erklärung)。而是在诠释和理解典籍的过程中,主体(诠释者)成就了自身生命的转化和提升自我理解(self-understanding)的境界。这种观点,正符合近代诠释学者如利科(Paul Ricoeur)、伽达默(Hans-Georg Gadamer)及海德格(Martin Heidegger)等人所指出的见解。利科在"存在与诠释学"一文中言:

> 当我提议将象征语言(注:symbolic language,即指文本的文字)与自我理解(self-understanding)连结起来,我相信我是成全了诠释学最深切的期望。一切诠释的目的,不外是要跨越文本所属的过往文化世界与诠释者自身之间的隔膜和差

---

① 《遗书》卷十五载伊川以"知至"就是"至之"。"知之深,则行之必至;无有知之而不能行者。"《遗书》卷十七又云:"人既能知见,岂有不能行?"

② 《遗书》卷十五载伊川论学《诗经》,必须连结起"积累涵养"的格物工夫。能"悠久差精",就可以到达**人则只是旧人,其见则别**"的境界。亦参见《遗书》卷十八载伊川云:"某年二十时,解释经义,与今无异,然思今日,觉得意味与少时自别。"

距。借助跨越这种差距、借助诠释者让自己切入文本的时代，他就能够体察这文本的切己意义了——本来是异于己身的变成为亲切的，即是说，他将之化作他自身生命的一部分（he makes it his own）。如此，通过他致力对其他人的理解，诠释者不断增长对自己自身的理解。因此，一切诠释过程，都明显地或隐含地是一种借助对他人的理解而达至自我的理解（Every herneneutics is thus, explicitly or implicity, self-understanding by means of undestanding others）。①海德格给予这观点在本体论方面的基础。他认为从现象学的角度看，"人的在此存在"（Dasein）② 自身就具有一种诠释的性质（Phänomenologie des Daseins ist Hermeneutik），因为"人的在此存在"的基本结构就是不断地展开存有的意义（Aufdeckung des Sinnes des Seins）的历程。而诠释学——作为将存有的意义呈现展开的活动，就正提供了一切本体论探索之所以可能的条件（Bedingungender Möglichkeit）。借助对"人的在此存在"本体的诠释（Auslegung des Seins des Daseins），诠释学剖开人存在情态背后的本体世界真相。③ 因此，诠释活动就是展开更多生命存在情态可能性的历程，这亦必然带来人自身生命的转化。

当然，从道德生命的立场来说，诠释活动只提供了生命转化的

---

① P. Ricoeur, 'Existence and Hermeneutics' in The Conflict of Interpretations: Essays in Hermeneutics (Evanston: Northwestern University Press, 1974), pp. 16~17。亦参见 Palmer, Hermeneutics pp. 66~69 的讨论。

② 笔者按海德格在《存有与时间》(Sein und Zeit)之理解，将'Dasein'翻译作"人的在此存在"，即在现实世界中人的存在情态。而'Sein'则翻译作"存有"。

③ 见 M. Heidegger, Sein und Zeit (Tübingen: Max Niemeyer Verlag, 1960), pp. 37~38。

**条件**和**机缘**。道德生命可以借此机缘获得提升,也可能反而堕陷。故此,文本自身的**内涵**和**指向**就具有决定性的角色了。而伊川强调读书要以圣贤典籍为选取标准,理由亦是在此。盖一篇作品既然是生命体验客观化了的呈现(Erlebnisausdrücke),①当人将讲论(discourse)记录下来或书之于文字时,就是将人心灵的传递、沟通活动客体化(objectification)和固定下来(fixation)。虽然成为文本之后,它具有客体性和固定性,但并没有丧失作者(或被他人记录下来的讲者)要沟通和传递的意义(meaningful human action)。② 故伊川言"看其立言如何",便可知其人:

> 凡学者读其言便可以知其人。若不知其人,是不知言也。(《遗书》卷廿二上)

故伊川亦强调,作文并不在于"专务章句,悦人耳目"而已。而事实上,《六经》虽为文字,其实是"圣人摅发胸中所蕴"而"自成文章。所谓'有德者必有言'也。"(《遗书》卷十八)

(2) 对圣贤典籍的再体验:如何读书?

既然圣贤典籍是圣人生命体验客体化了的呈现,诠释和理解的方法就不应"滞心于章句之末",③而是用自己的生命去投入和再体验(re-experience)圣人的生命体验。《遗书》卷廿五伊川云:

> 读书者,当观圣人所以作经之意,与圣人所以用心,与圣人所以至圣人,而吾之所以未至者,所以未得者,句句而求之,昼诵而味之,中夜而思之,平其心,易其气,阙其题,则圣人之意见矣。

---

① 在此取狄尔泰的观点,见 Dilthey, GS, Vol. 7: Aufbau, pp. 138~152, 199~220。

② 见 P. Ricoeur, 'The Model of the Text: Meaningful Action Considered as a Text,' Social Research 38(1971):537~538。

③ 《粹言》卷一"论学篇"。

这是一种以生命体验切入生命体验的工夫。故伊川论读圣贤典籍时，读者需要"子细**体认**"①、"将圣人之言语**切己**"②。这种"切己体认"的诠释工夫，狄尔泰称之为"再体验"（nacherleben）的历程。③ 他认为关乎人文世界的作品，由于它是源自人的内在生命体验的呈现和表达（Ausdruck），因此虽然是用文字语言记载，但它的指向，却是文字所不能言尽的体验境界。④ 故此，仅对文字进行分析、或抽出其中客观的普遍原理的认知方法，根本就不能对应和把捉原作者自己内在生命世界的体验。作者的生命体验，必须以诠释者的生命体验去迎对才可以获得真正的理解（Verstehen），而不是依赖那种抽象的理论化过程。⑤ 这就是所谓"再体验"的历程和工夫。故狄尔泰说："一切理解工夫都是一种'再体验'的历程，而一切'再体验'的历程都以生命体验自身为基本素材。"⑥当伊川被门人伯温问及"学者如何可以有所得？"时答曰：

　　当深求于《论语》，将诸弟子问处**便作己问**，将圣人答处**便作今日耳闻**，自然有得。"（《遗书》卷二十二上）⑦

当然，这种"再体验"的诠释理解工夫，并非就等于纯粹直觉而

---

① 《遗书》卷二十三："问：'吾道一以贯之'，而曰'忠恕而已矣'，则所谓一者，便是仁否？'曰：'固是。只这一字，须是子细体认。'"

② 《遗书》卷二十二上："先生曰：'凡看《语》、《孟》，且须熟玩味，将圣人之言语切己，不可只作一场话说。人只看得此二书切己，终身尽多也。'"

③ 参见：Plantinga, Dilthey, pp. 87~90 的讨论。

④ 参见《遗书》卷十八伊川云："大率言语须是含蓄而有**馀意**，所谓'书不尽言，言不尽意'也。"

⑤ 参见：Palmer, Hermeneutics, pp. 114~115 的讨论。

⑥ W. Dilthey, GS, Vol. 4: Die Jugendgeschichte Hegels und andere Abhandlungen zur Geschichte des deutschen Idealismus, p. 178。

⑦ 伊川多次就门人问学如何可谓之有得，答之以"默识心通"一语（见《遗书》卷十五、十七、十八），亦旨在言以体验去理解体验之意。

## 第三章 程伊川之致知与涵养工夫

不加反省的感受而已。① 这里所强调的,是诠释历程中两个生命体验世界——文本的原著者和诠释者——的相遇(encounter)。用伽达默的话说,就是两个"视域的融摄"(fusion of horizons)。② 无论是文本的原著或诠释者,都有他自身独有的"视域"(horizon)。但这两个个别视域,并非是固定不变的。相反地,这种扣住生命指向的参考点是不断地随着体验的接触而在演变中的。③ 而每一个诠释的历程,就是两个视域的相遇,而"文本提供一个可能的世界(possible world)和在这世界中诠释者可以校正自己生命

---

① Ricoeur, 'Model of Text', Social Research 38:561, 'As the model of text interpretation shows, understanding has nothing to do with an immediate grasping of a foreign psychic life or with an emotional identification with a mental intention. Understanding is entirely mediated by the whole of explanatory procedures which precede it and accompany it. The counterpart of this personal appropriation is not something which can be felt, it is the dynamic meaning released by the explanation which we identified earlier with the reference of the text, i. e. its power of disclosing a world.' 伊川亦强调读书要"思",然"思"亦必以"作圣"为目标。《遗书》卷廿五:"为学之道,必本于思,思则得之,不思则不得也。故《书》曰:'思曰睿,睿作圣。'思所以睿,睿所以圣也。"

② 参见 Gadamer, Truth and Method, pp. 269~274。"视域"(horizon)的定义,见下"注③"。

③ 同②,第269页,'The horizon is the range of vision that includes everything that can be seen from a particular vantage point. Applying this to the thinking mind, we speak of narrowness of horizon, of the possible expansion of horizon, of the opening of new horizons etc.'亦参见 Cornelius A. van Peursen, 'The Horizon' in Husserl: Expositions and Appraisals, ed. F. Elliston and P. McCormick (Notre Dame: University of Notre Dame Press, 1977), pp. 182~201。

的可能路向(possible way)。"①伊川亦有言:"圣人之语,**因人而变化**;语虽有浅近处,即却无包含不尽处。"(《遗书》卷十七)圣人通过典籍展开了一个可能的生命世界,诠释者以自己的视域与之相遇,而带来生命体验的新路向和转化。这就是读圣贤典籍而可以提升自己道德生命的道理。

**(二) 体察历史人物经历以把握为圣之道**

以上一节述通过读圣贤典籍去提升自己的道德生命,这是伊川"格物致知"工夫之可以为成圣之道的其中一方面。本节再论以"历史情境"为理解对象的"格物致知"工夫。就伊川的哲学而言,就是通过体察历史人物的经历以把握为圣之道。《遗书》卷廿三云:

> 夫子删《诗》、赞《易》、叙《书》,皆是**载圣人之道**,然未见**圣人之用**,故作《春秋》。《春秋》,**圣人之用也**。如曰:"知我者,其惟《春秋》乎!罪我者,其惟《春秋》乎!"便是圣人用处。

对典籍文本的理解是获得"圣人之道"。而读史,透过对具体历史人物情境和经历的理解,就能见"圣人之用"。两者是相辅相成的,同样都是伊川"穷理"之学的入路工夫。伊川云:"学《春秋》亦善,**一句是一事,是非便见于此**,此亦**穷理**之要。然他经岂不可以穷?但他经论其**义**,《春秋》因其**行事,是非较著**,故穷理为要。"(《遗书》卷十五)故所谓"穷理",就是在具体历史**事件**中见**是非**,从而把握为圣之道。在此牵涉两个问题:其一是伊川对史学(Historiography)的立场和理解。其二是如何通过对历史的解悟而成为自身道德实践的提升工夫? 对于伊川而言,这两个问题是相互关连的。

(1) 读史与道德生命的提升

我们首先看伊川对史学的立场和理解。正如其他宋明儒学家一样,伊川对历史的主要兴趣,并非在于史料的考据和整理,而是

---

① Ricoeur, 'Model of Text,' Social Research 38:558。

从道德实践的角度去看待历史。前者可称为科学的史学,故目的是一种"历史主义"(Historicism)的倾向。大抵宋明儒都不持这种态度。引用德语的界分,宋明儒史学的课题,并非在于史料自身的研究和整理(Historie),而是在于突出历史事件及人物对于读史者的意义(Geschichte)方面。《遗书》卷十八伊川曰:

> 凡读史,不徒要记事迹,须要识治乱安危兴废存亡之理。

又云:"看史必观治乱之由,及圣贤修己处事之美。"(《遗书》卷廿四)。对伊川来说,史学的对象虽然是过去的事件,但历史的主角及兴趣所在,始终是"人"——看历史是观"**圣贤修己处事之美**";而看历史兴替,也是观"**圣贤**所在治乱之机,**贤人**君子出处进退",这"便是格物"(《遗书》卷十九)。

在此我们可以参考海德格(Martin Heidegger)在其著《存有与时间》(Sein und Zeit)第七十三节所论述的观点。按照一般对"历史"一词的理解有四种:指已过去不再的"历史陈迹",指铺陈事件变化的过去、现在至将来延续着的"时间网络",指人类文化活动随着时间演变的"整体情态",指某一特定的文化"传统"。① 然而,贯串这一切不同的理解的,是历史"都是以人作为一切事件的核心而连系起来的。"② 虽然史学研究的对象是过往的器物、事件等,但它们之所以被拿出来研究,是因为它们联系着人的存在而带来史学研究的意义(例如:一万年前山边的一块石头,不会被放在博物馆;但若该石头有人工琢磨过的痕迹,就立刻变成历史研究的对

---

① Heidegger, Sein und Zeit, pp. 378～379。
② 同①,第 379 页,'Die vier Bedeutungen haben dadurch einen Zusammenhang, daß sie auf den Menschen als das Subjekt der Ereignisse sich beziehen.' 亦参见 R. G. Collingwood, The Idea of History(London: Oxford University Press 1946), p. 212, 'All history properly so called is the history of human affairs.'

象。分别在于是否有"人的存在"因素)。因此,研究历史,就是研究人实存情态的历程(the existential analysis of historicality of Dasein)。① 换句话来说,人(存在)的历程性(Geschichtlichkeit des Daseins)才是一切史学的实存根源(der existenziale Ursprung der Historie)。② 所谓"人的历程性",就是人在各种不同存在的可能性(possiblity of existence)之中的进程。因此,读历史的真正意义,就是透过以往"人的历程性"(what-has-been-there historicality of Dasein)所展示出的那些真实地〔美善的〕存在的可能性(possibility of authentic existence),去酝酿出人(读史者)当下可能真实地存在的**契机**。这样说来,历史就并不是只属于过往不再的事件的组合,而是借助人曾经存在过的情态的重现(repetition of the Dasein which has-been-there)而启示出(enthüllen)人可以真实地存在的**契机**(authentic possibility of historicality)。③ 用莫卡尔利(John Macquarrie)的话说,在海德格的哲学观点中,历史就是那"可重现的真实地存在的契机"(repeatable authentic possibility)。④ 对伊川来说,读史就是在于把握以往历史中出现过、当下读史者仍可以再实践的"圣人之用"。《遗书》卷廿四云:"**看《书》,须要见**二帝、三王**之道**。如二《典》,即求尧所以治民,舜所以

---

① 'die existenziale Analyse der Geschichtlichkeit des Daseins',见同上书,第 379,392 页。

② 同第 81 页注①,第 392,393 页。

③ 见同第 81 页注①,第七十六节"历史学在人的在此存在的历史性中的实存根源"(Der existenziale Ursprung der Historie aus der Geschichtlichkeit des Daseins)中的陈述及讨论。参见 Collingwood, Idea of History, p. 10, "history is 'for' human self-knowledge…The value of history, then, is that it teaches us what man has done and thus what man is."

④ J. Macquarrie, An Existentialist Theology: A Comparison of Heidegger and Bultmann (New York: Macmillan, 1955), p. 166。

事君。"这"道",就是为圣之道。圣贤在过往历史中展开了一连串真实地存在的可能性,史学就是让这可能性的契机重现,让读史者借助这契机作为其至于圣人的进路。《遗书》卷廿五载:

> 或问:"周公勋业,人不可为也已。"曰:"不然。圣人之所为,人所当为也。尽其所当为,则吾之勋业,亦周公之勋业也。凡人之弗能为者,圣人弗为。"

"圣人所为"与读史者所为,就人"真实地存在的可能性"而言,是一致的、是**跨越时间差距的**。就如海德格所说:

> 如果历史学本身是从〔人〕真实〔地存在〕的历史性(eigentlicher Geschichtlichkeit)所产生出来。而借助人过往存在的情态的重现而启示出人的可能性的话,那么历史学就已经在只发生一次的事件中呈现出其**普遍性**(Allgemeine)了。①

这就是历史学□□□□□□□□。其普遍性,是在于历史展露了人真实□□□□□□□□后时间中不断重现的可能性。这普遍性□□□□□□□□现在连结起来。故"人皆可以至圣人,而□□□□□□□□,不至于圣人而后已者,皆自弃也。"(《□□□□□□□□存在的契机"的普遍性中,不但以往的圣□□□□□□□□圣人无优劣。尧、舜之让,禹之功,汤、武之征伐,伯夷之清,柳下惠之和,伊尹之任,周公在上而道行,孔子在下而道不行,**其道一也**。"(《遗书》卷廿五)。如此说来,历史的普遍性并不同于科学的普遍性。此普遍性(universality)并非一种**抽象**于具体事象背后的**原理**(abstract principle),而

---

① 'Wenn die Historie, selbst eigentlicher Geschichtlichkeit entwachsend, wiederholend das dagewesene Dasein in seiner Möglichkeit enthüllt, dann hat sie auch schon im Einmaligen das Allgemeine offenbar gemacht.' (<u>Sein und Zeit</u>, p. 395)

是"人真实地存在的**契机**"在时间延续线上**的可重现性**(repeatability in time)。

(2) 对历史的具体解悟

若然历史的普遍性在于"人真实地存在的契机"的可重现性,则诠释历史和理解历史的核心课题,就不只在于考据和整理编制历史事件的次序(例如"历史主义"),或搜寻那超越而又内在于历史延续中的形上普遍真理(例如黑格尔的历史学)①而是正如布特曼(Rudolf Bultmann)所谓"要对历史作一种实存的相遇"(the existential encounter with history)。② 就是说,诠释历史,并非如传统科学般是主、客相对的认知过程,而是诠释者在历史所展开的契机中,获得自我认识的一种实存体验(existential self-understanding)。③ 伊川亦曾言:

> 伊尹之耕于有莘,傅说之筑于傅岩。天下之事,非一而学之;天下之贤才,非一一而知之。**明其在己而已矣。**(《遗书》卷廿五)

---

① 参见 J. Macquarrie, <u>The Scope of Demythologizing</u>(London: SCM, 1960), pp. 75~80。

② 见 R. Bultmann, 'Science and Existence' in <u>New Testament and Mythology</u> [ed. S. M. Ogden](Philadelphia: Fortress Press, 1984), pp. 136~143. Id., <u>History and Eschatology</u>(Edinburgh: Edinburgh University Press, 1975), pp. 117~122。

③ 见 R. Bultmann, 'Bultmann Replies to His Critics' in <u>Kerygma and Myth: A Theological Debate</u>, ed. H. W. Bartsch, Vol. I (London: SPCK, 1960), pp. 191~196. Collingwood, <u>Idea of History</u>, p. 202, "History is thus the self-knowledge of the living mind. For even when the events which the historian studies are events that happened in the distant past, the condition of their being historically known is that they should 'vibrate in the historian's mind'."

故读历史人物事迹的意义在于"自得"①,得"圣人之意"而不必只按其事"**迹**"去"一节一行"地仿效。② 如此说来,读史就不单只在于在古圣贤事迹中寻索可遵行的道德**规格**,或把捉一**普遍之道理**。借用牟宗三的说法,"抽象的解悟"(即通过分类、定义、分析、综合、演绎、归纳等手续以达到其知解活动)并不适宜于历史性的理解和诠释。读史须要用"具体的解悟",盖"具体者如其为一有历史性的独一无二的事理之事而即独一无二地了解其意义或作用,而不是依分类而归纳地了解其物性之谓也。"③"具体的解悟"就是:

> 吾人看历史,须将自己放在历史里面,把自己个人的生命与历史生命通于一起,是在一条流里面承续着。……从实践看历史,是表示:历史根本是人的实践过程所形成的,不是在外面的一个既成物。④

然而,怎样才算"将自己放在历史里面"去看历史?按伊川门人所载:

---

① 《遗书》卷十八:"问:'前世所谓隐者,或守一节,或悖一行,然不知有知道否?'曰:'若知道,则不肯守一节一行也。如此等人,**鲜明理**,多取古人一节事专行之。孟子曰:"服尧之服,行尧之行。"古人有杀一不义,虽得天下不为,则我亦杀一不义,虽得天下不为。古人有高尚隐逸,不肯就仕,则我亦高尚隐逸不仕。如此等,则仿效前人所为耳,于鲜**自得**也。"

② 《遗书》卷二十五:"必井田,必封建,必肉刑,非圣人之道也。善治者,放井田而行之而民不病,放封建而使之而民不劳,放肉刑而用之而民不怨。故善学者,**得圣人之意而不取其迹也**。迹也者,圣人因一时之利而制之也。"

③ 见牟宗三:《历史哲学》(增订四版。台北:学生书局,1976)"三版自序",第5～7页。其所论历史器物须观其历史意义去了解(第3,5页),与海德格之《存有与时间》第七十三节所持之见解同。然牟著所谓"具体的解悟"是在于了解历史活动所表现之"超越的理念"(第4～6页),则近黑格尔的历史哲学,与笔者以下所述之见解不尽相同。

④ 同③,正文第1页。

> 先生始看史传,及半,则掩卷而深思之,度其后之成败,为之规画,然后复取观焉。(《遗书》卷廿四,邹德久录)

> **先生每读史到一半,便掩卷思量,料其成败。然后却看有不合处,又更精思。**(《遗书》卷十九,杨遵道录)

伊川这种读史的方法,我们可称之为"第一身的具体解悟"。所谓"第一身",就是不将历史事件摆成"第三者"的活动,而是**设想自己**落在当时的历史情境中,然后以**自身的体悟**去预料其成败,然后再取史传来观其结局,对照自身所料是否相合。遇有不合处,又更进一步反省精思自己与历史所展示出的"真实地存在的可能性"之间的差距,从而修改自己对道德生命的认识和体验。这正是狄尔泰所言的"再体验"的历程。在其著《人文研究序论》中云:

> 我们可以从自身生命的深处出发,把过往的尘迹回复生命力和气息而达至一种理解。若然我们要从内在的和一致性的中心点去理解历史发展的轨迹的话,我们就必须具备从一个立足点更易至另一个立足点的自我转化情操(self-transpositon)。如此可能的一般心理条件,是将自己投入想像之中。然而,若真要对历史发展有全面透彻的理解,就必须首先在最深度和向前推展的想像中去再体验(re-experience)出来。①

这种把自己溶入过往心灵中去亲自体验的读史方式,不是知性资料上的递增,而是**一种自我转化**的历程。因为当读史者如伊川所实践般将自己投入历史情境、然后作出预期的估计的时候,这估计当然是发源自读史者自身的体验和世界观(Weltanschauung)。每遇有预期的估计与历史实况不相符,就必然带来对自身世界观的反馈和冲击(即伊川所谓"看有不合处,又更精思")。这种"精

---

① Dilthey, GS, Vol. 1: Einleitung in die Geisteswissenschaften, p. 254。

思"其实是对自身世界观的一种"解构"(deconstruction)历程——对原本自身信念和价值取向的突破、消解、浮动和开悟。而随着这"解构"历程而来的,自然是自身世界观一定程度的"重构"(reconstruction)。因此,借助"第一身的具体解悟"的再体验,每次读史都变成生命重构的历程。这就是伊川之所以能以体察历史人物经历去修养为圣之道。故《遗书》卷十九伊川云:"读史须见圣贤所存治乱之机,贤人君子出处进退,便是格物。"①

**(三)居敬集义——透过待人接物的生活去提升自己的道德生命**

伊川于《遗书》卷十八谓:"穷理亦多端:或读书,讲明义理;或论古今人物,别其是非;或**应事接物而处其当**,皆穷理也。"所谓"应事接物而处其当",就是在日常生活中透过待人接物的体验,去提升道德生命的工夫。

以上两节论"读圣贤典籍"及"体察历史人物"的工夫,皆以主体以外的他者(others,即典籍,历史事件)为格物致知的对象,通过诠释理解的历程而成为主体体验的一部分,从而达至自身生命的转化和提升。而本节所探讨的对象,却是主体在日常生活的自身体验。借用舒尔兹(Alfred Schütz)的词汇,是"日常生活的生命世界"(Lebenswelt des Alltags 或 alltägliche Lebenswelt)的体会。② 在这日常生活之中,主体通过待人、接物的当下直接体验去把捉成圣之道。于伊川而言,这是格物致知工夫中不可或缺的重要一环。《遗书》卷十七云:

"致知在格物"。格物之理,不若**察之于身,其得尤切**。

---

① 《遗书》卷二十四:"看史必观治乱之由,及圣贤修己处事之美。"
② 参见 A. Schütz and T. Luckmann, Strukturen der Lebenswelt, Vol. 1 (Frankfurt: Suhrkamp, 1979), ch. 2 'Die Aufschichtung der Lebenswelt' (pp. 47~130).

对自身生命的体察,不单是在于义理的反思,更要在**具体的生活场合中**去实践和体验(contextualized experience)。① 伊川曾评论谓,若学者只是理论地教导义理是不够的,他必须在日常生活中培养自己的道德情操,才算真正地把握涵养致知工夫。《遗书》卷十七伊川表达他的不满:

> 学莫大于致知,养心莫大于礼义。古人所养处多,若声音以养其耳,舞蹈以养其血脉。今人都无,只有个义理之养,人又不知求。

又云:

> 古人为学易。自八岁入小学,十五入大学,舞勺舞象,有弦歌以养其耳,舞干羽以养其气血,有礼义以养其心,又且急则佩韦,缓则佩弦,出入闾巷,耳目视听及政事之施。如是,则非僻之心无自而入。今之学者,只有义理以养其心。(《遗书》卷十五)

在日常生活所体会的生命世界,不是一个单从理论构思所推导出来的世界,而是通过我们的直接体验、行动、抉择和面对面人际沟

---

① 参见 C. O. Schrag, Experience and Being(Evanston:Northwestern University Press, 1969), part II 'The Contextualized Experiences' (pp. 125~215)。

通情境所构成的"生命世界"。① 既然这日常生活的生命世界是我们最基底的生命和经验范畴,②而且"君子之学"是要"自微而显,

---

① 参见 A. Schutz and T. Luckmann, The Structures of the Lifeworld, Vol. 2 (Evanston: Northwestern University Press, 1989), p. 1, 'The life-world is the quintessence of a reality that is lived, experienced, and endured. It is, however, also a reality that is mastered by action and the reality in which-and on which-our action falls... Everyday life is that province of reality in which we encounter directly, as the condition of our life, natural and social givens as pregiven realities with which we must try to cope. We must act in the everyday life-world, if we wish to keep ourselves alive. We experience everyday life essentially as the province of human practice.'

② 此义取自胡塞尔(Edmund Husserl)在其著 Ideen zu einer reinen Phänomenologie und phänomenologischen Philosophie(1913), Die Krisis der europäischen Wissenschaften und die transzendentale Phänomenologie (1936) 及Phänomenologische Psychologie(1925, 1926/27 and 1928)三作中论"生命世界"(Lebenswelt)之见解。A. Gurwitsch, 'Problems of the life-world' in Phenomenology and Social Reality, ed. M. Natanson (The Hague: Martinus Nijhoff, 1970), p. 35 综合胡塞尔的见解谓:'The life-world (Lebenswelt)... is the world as encountered in everyday life and given in direct and immediate experience... independently of and prior to scientific interpretation. At every moment of our life, we find ourselves in the world of common everyday experience... As the universal scene of our life, the soil, so to speak, upon which all human activities, productions, and creations take place, the world of common experience proves that foundation of the latter as well as of whatever might result from them.'

自小而章"地要在日常生活中具体实践出来，①涵养致知的工夫就不可能只抽象地讲求义理，而必须透过在日常生活的生命世界中的操练而培养出来。用伊川的话说，就是圣人之道，是来自"洒扫应对"等日常生活的操练：

> 圣人之道，更无精粗。从洒扫应对至精义入神，通贯只一理。虽洒扫应对，只看所以然者如何。（《遗书》卷十五）

故曰："至如**洒扫应对**与**尽性至命**，亦是**一统底事**，无有本末，无有精粗，却被后来人言性命者别作一般高远说。"（《遗书》卷十八）仔细一点说，所谓"应对"，是指日常生活中与他人的沟通行动（communicative action）②；而"洒扫"，则是指日常生活中对外在世界的工作实践（praxis of labour）③。以下分述这两方面日常生活体验之可以成为提升道德生命的根据及其工夫进路。

（1）待人之道与道德生命的提升

伊川言日常生活中的待人之道，提及"言语"、"与人交接之际"、"进退"及"应对"等。④ 当然以上所举，只是其中一些场合。总的来说，所谓"待人之道"，是指一切在日常生活中与他人交往的沟通行动，此可谓"应对"广义地所涵盖的场合情境。舒尔兹（Alfred Schütz）称这种交往为"面对面的社会交往行动"（face-to-face

---

① 《遗书》卷二十五："能尽饮食言语之道，则可以尽去就之道；能尽去就之道，则可以尽死生之道。饮食言语，去就死生，小大之势一也。故君子之学，自微而显，自小而章。《易》曰：'闲邪存其诚。'闲邪则诚自存，而闲其邪者，乃在于言语饮食进退与人交接之际而已矣。"故言语饮食进退与人交接之际，是君子之道的实践，亦是君子之道的操练场合。

② 此词汇取自 J. Habermas, Theorie des kommunikativen Handelns (2 vols.) (Frankfurt: Suhrkamp, 1981)。其论点详见下文。

③ 此词汇取自马克思（Karl Marx）及马克思主义论工作实践之哲学涵养。其论点详见下文。

④ 同①。

social interrelation)。① 这"面对面的场合"中的沟通行动,是一种直接(direct)和即时(immediate)的沟通经验,沟通的双方可以直接和即时地通过从辞行动(communicative speech act)传递信息和澄清意义。故此这种沟通行动在意向和动机上是互易的(reciprocal)、即时直接相互影响和更易的。相对来说,以上两节所述,无论是对文本的诠释或对历史的诠释,都是单向的(one-sided)。

然而,这种即时直接在动机和意向上互易的沟通经验,如何能够成为道德生命提升的可能契机?我们可以从主体意识(consciousness)和规范性行动(norm-conformative action)两个角度去理解。

从沟通双方的**主体意识**的角度而言,"面对面的场合"提供了双方都意向着对方的情态(intentionally conscious of the person confronting him),故可称为"尔向"(thou-orientation)的意识情态。而这双方的"尔向意识"亦同时相互地共同参与着同一个生命世界——可称之为"我们的关系世界"(We-relationship)。在这世界中,双方的意识流(stream of consciousness)在参与着同一个生命世界而相互交错地共同并进。用舒尔兹的话说,就是在这"面对面的场合"沟通历程中:

> 我必须向自己构想出,那与我〔的意识流〕并进中的你的意识流是怎样的一幅图像,才能把握你主体意识所要表达的意义。透过这图像,我尝试去诠释和构作出你之所以要选取那些词汇的意向(intentional Acts)。在此,你与我可以相互地经历这同时的、共同一起成长的时刻(growing older to-

---

① 见 A. Schutz, The Phenomenology of the Social World (London: Heinemann, 1972), pp. 163～176。亦参见 H. R. Wagner, Phenomenology of Consciousness and Sociology of the Life-World (Edmonton: University of Alberta Press, 1983), pp. 116～120 对舒尔兹的诠释。

gether for a time)。在此，我们可以在这〔我们的关系世界〕之内，一起生存于对方的主体意义情境（subjective contexts of meaning）之中。①

这相互交错的沟通历程，将两个原本不相同的主体意识放在一起成长，而结果就是对双方的意向及经验世界都带来一定程度的修改和更易。透过与他者意识的互交，自己的意识经验世界亦经历"意向性的调整"（intentional modification）。②

运用这社会现象学的剖析，可见"应对"作为一种"面对面的社会交往行动"，是必然地会带来主体生命转化的契机。然而，这种生命转化的契机当然并不必然地会将生命提升。③在伊川的哲学理解中，"应对"作为待人之道，并非是描述性（descriptive），而是具有规范性（normative）的。所谓"规范性"，就是伊川视"应对"必须具有一目的指向，那就是要"处其当"。故曰："应事接物而**处其当**。"（《遗书》卷十八）所谓"当"，是指"适当、恰当"。故待人应对之道，是以"当"为规范目的。从社会规范说，就是合于"礼"④；从内在道德生命的呈现说，就是"发而皆中节"的"和"。盖"礼以和为贵，故先王之道以此为美。"（《遗书》卷十九）所谓"和"，就生命与生命的"感通"：

"喜怒哀乐之未发谓之中。"中也者，言寂然不动者也。故曰"天下之大本"。"发而皆中节谓之和。"**和也者，言感而遂通者也。**故曰"天下之达道。"（《遗书》卷廿五）

---

①　Schutz, <u>Social World</u>, p. 166。

②　同①，第 171 页。

③　舒尔兹的社会现象学只提供了这种沟通历程的剖析（description），而没有提出这历程可以成为道德生命正面提升的对治方针（prescription）。

④　《遗书》卷十八云："天下有多少才，只为道不明于天下，故不得有所成就。且古者'兴于《诗》，立于礼，成于乐'，如今人怎生会得？……古礼既废，人伦不明，以至治家皆无法度，是不得立于礼也。"

这种生命与生命的感而遂通,是一种"互为主体性"(intersubjectivity)的沟通情态。① 如前所述,沟通双方透过对同一生命世界的参与,将两个原本不相同的主体意识放在一起成长。故此,每次"面对面的场合"的应对,都可以成为生命感通的操练。"尔向意识"的相互交错,一方面将自我生命展开并涵盖他人的生命而成一"我们的关系世界";一方面透过与他者意识的互交而带来自我生命的调整,进而循"礼"的规范而提升自己的道德生命。

以上是从主体意识的角度述"应对"与道德生命的提升。现再从**规范性行动**的角度去理解"应对"对道德生命的转化。因为面对面场合中的沟通行动,并不能单纯地看做只是双方主体意识上的交往(interrelation between subjective consciousness)而已。双方必须透过一客观的规范世界(objective world of norms)而共同参与地去进行,此客观的规范世界亦即是"礼"的世界。《遗书》卷十五云:

> "礼,孰为大?时为大",亦须**随时**。当随则随,当治则治。当其时作其事,便是能随时。"随时之义大矣哉!"寻常人言随时,为且和同,只是流徇耳,不可谓和。**和则已是和于义。**

"应对"当然以"和"为主体动机,但要应对得**适当**,就要"**和于义**"。即是说,"和"的**主体动机**,要透过"礼"的**客观规范**,才能实践出适当的应对。故《遗书》卷十九不但言"礼以和为贵",随之谓"然却有所不行者。以'知和而和,**不以礼节之**',故亦不可行也。"哈伯马斯(jürgen Habermas)在其著《沟通行动理论》(Theorie des Kommunikativen Handelns)中论"规范性地受约制的沟通行动"(norma-

---

① 参见 Schutz, Social World, pp. 97~138。

tively regulated action)谓①：这种沟通行动预设了主体和**两个世界**——共同经验的客观事物世界和主体在其中扮演角色的"社会世界"(social world)之间的关系。② 这"社会世界"就是那些既定的合法人际关系(legitimate interpersonal relations)规范的总和。沟通的双方就透过这些规范为准则，去表达自己内心意向、证成自己的行动和诠释对方的行动和意向。伊川用"礼"去代表这种规范：

> 推本而言，**礼只是一个序**……才不正便是无序，无序便**乖**，**乖便不和**。(《遗书》卷十八)

故曰"博之以文，**约之以礼**"是"圣人最切当处"(《遗书》卷十八)。这种约制性的道德规范虽然是一种文化上的价值取向(culture

---

① 见 J. Habermas, The Theory of Communicative Action, Vol. 1: Reason and the Rationalization of Society (Boston: Beacon Press, 1984), pp. 88～90。

② 舒尔兹统称之为"我们的环境"(our environment)或"我们互为主体的共同世界"(common intersubjective world of the We)。见 Schutz, Social World, p.171。哈伯马斯更仔细地分别出"客观经验世界"和"社会世界"。例如："以敬茶表示尊敬"的沟通行动中，双方要对茶这客观事物有共同的认识(此即"客观经验世界")，也要对敬茶这行动的社会意义有共同的理解(此即"社会世界")。有了这两个世界的共同理解，敬茶这行动就可以传递敬意，而不会被误解。

values),① 但它是源自人内心求与他者感通的道德意向,也是令这主观意向实现出来的渠道。②

然而,透过"礼"这个道德规范世界的沟通行动又如何可以令自身道德生命提升?按照哈伯马斯的见解,"规范性的沟通行动"是连结着一种将价值取向内在化(value internalization)的历程。因为那些具价值取向的规范(例如:孝敬尊长),会对在社会上生活的参与者构成一股"行动动机相连的压力"(action-motivating force),令参与者在气质上投向这些价值的取向和准则。因为在这沟通行动中的参与者,不断地接受这些规范准则的衡量和被厘定其行动是适切抑是偏差,而这合法性的要求就是造成参与者将这些规范的价值取向内在化的动力。③ 若"礼"作为社会规范的价

---

① Habermas, Communicative Action (1), p. 89, "In the light of cultural values the needs [Bedürfnisse] of an individual appear as plausible to other individuals standing in the same tradition. However, plausibly interpreted needs are transformed into legitimate motives of action only when the corresponding values become, for a circle of those affected, normatively binding in regulating specific problem situations. Members can then expect of one another that in corresponding situations each of them will orient his action to values normatively prescribed for all concerned."

② 故伊川强调"礼"必须内、外相应相成,才算真正实践出道德生命。《遗书》卷十七云:"**大凡礼,必须有意**。礼之所尊,尊其义也。失其义,陈其数,祝史之事也。"又云:"颜渊问仁,而孔子告之以礼。仁与礼果乎?"(同上)又云:"视听言动一于礼之谓仁,**仁之与礼非有异也**。"(《遗书》卷二十五)

③ Habermas, Communicative Action (1), p. 89. 当然,这种社会心理学的理解是属于哈伯马斯的。中国儒学对"礼"的体认,多是强调从内心个人修养出发,而非从社会规范层次出发去把价值内在化。然而,正如张德胜:《儒学伦理与秩序情结——中国思想的社会学诠释》(台北:巨流,1989),第81~87页指出,规范内植与个人修养两者之间是具有一辩证关系。哈伯马斯从社会层次的角度出发,亦补足儒学从内心修养去理解"礼"的另一面。

值取向是指向"圣人之道",则这价值取向的内在化就即是道德生命的提升。故伊川曰"学莫大于致知,**养心**莫大于**礼义**。"(《遗书》卷十七)透过"礼义"的应对(沟通行动),诚然是"养心"的历程。

(2) 接物之道与道德生命的提升

《遗书》卷十八谓"**洒扫**应对与**尽性至命**"是"一统底事。无有本末、无有精粗"。在此,伊川直下将"洒扫"的日常起居工作放入道德生命的范畴去理解。

对于伊川来说,道德生命不单是内外、本末一致,而且必须具体地结合在最细微的生活小节中,才算是真工夫。故《遗书》卷廿五言"君子之道,自微而显,自小而章。"而"闲邪"、"存诚"之道,"乃在于言语饮食进退与人交接之际而已矣。"又谓:

至显者莫如事,至微者莫如理。而事理一致,微显一源。古之君子所谓善学者,以其能通于此而已。(《遗书》卷廿五)故道德生命是贯通至微之"理"与至显之"事"。这种"事理",乃是"一种具体之理"。而此种"实际上之成事之理,乃随事之不断发生,而不断创出以具创生性者。此即事理之所以为事理之特殊之所在。"故"克就性理对尽性之修养之事而言,毕竟是理先事后"。① 然而,正如王船山所论,"道与器不相离",故"即形器明道,即事见理,即用见体"。② 此中,事、理之间存在着互为因果的辩证关系。这就是人通过与外在世界的相接实践,一方面将自身内在生命客体化而成为具体行动(例如:由意愿栽种花木而至付诸行动),一方面亦通过此具体行动与外在客观世界之相辅相克过程(例如:花木

---

① 见唐君毅:《中国哲学原论》(导论篇)(香港:新亚研究所,1974),第一章"原理上:'理'之六义与名理",第二章"原理下:空理、性理与事理"。本段引自上书第59,60页。

② 见唐君毅:《中国哲学原论》(原教篇)(香港:新亚研究所,1975),第二十章论"王船山之天道论(上)",第515~520页。

有其客观定规的生长规律),反馈地对行动者的内在生命创造出转化的条件(例如:不能疏懒洒水,不能一曝十寒)。

人的内在生命通过对外在世界的工作和实践而获得转化的历程,马克思(Karl Marx)在其早期及哲学性的作品中提供了本体论的剖析。马克思认为,工作实践不单是人类生活的一种活动,而且是一种人自我创造和自我实现的历程。在其《1844年巴黎手稿》中,马克思写道:

> 人正是要通过对外在世界的改造,才开始确实地肯定自己是类的存在物(species-being,按:指人与其他生物不同的族类特质)。这生产活动是〔构成了〕他能动性的类的生活(active species-life,按:人之所以为人的生活)。通过这种活动,自然界才表现为他的工作〔成果〕和〔属于〕他的现实性。人工作的对象(object of work)因而成为了人作为类的生活的客体化历程(objectification of the species-life)。因为在〔这客观的〕现实中,他不单在思考和心智上,更可以在实践上把自己重现(he duplicates himself)。从而,在他自己所创造的世界中,他可以看见自我的形象。①

马克思所谓人的工作实践是一种将人作为类的生活的**客体化**的历程,是指一种"人主体之自我的实现历程"(Selbstverwicklichung des Subjekts)。② 这种"自我实现"的历程,是借助工作实践,将人与外在世界都**相互地**产生了**转化**。《资本论》(卷一)有更详尽的论

---

① K. Marx, 'Economic and Philosophical Manuscripts' in <u>Karl Marx: Early Texts</u> [ed. D. McL. ellan] (Oxford: Basil Blackwell, 1979), p. 140. 亦参见 E. Fromm, <u>Marx's Concept of Man</u> (New York: Frederick Ungar Publishing Co, 1961), pp. 40~42。

② 见 K. Marx, <u>Grundrisse der Kritik der Politischen Ökonomie</u> (Berlin: Dietz Verlag, 1953), p. 505。

述：

> 工作的首要意义，是人与自然界之间〔互交〕的一个历程。在这历程中，人透过他自己的行动，去引发、调校和统制人与自然界之间的互存性（metabolism between himself and nature）。〔在工作实践中，〕人作为一种自然力（natural force），与自然界的物质对立，他会推动属于自己身体的自然力——他的臂、腿、头和双手——在适切自己需要的方式下摄取自然界的物质。透过这些动作，他**一方面作用于并改造外在的自然世界**；另一方面，他也**同时借同一历程改造着自己的本性**。他发挥了原来潜存于本性中的潜质，使它们在他的统治下产生出动力。①

从本体论的角度来说，工作实践是人主体性的客体化（objectification of the subject），将人的内在潜质借具体动作实现出来。因此，工作实践也就是人主体的自我实现了。借助外在现实世界与主体的交接，主体对自然界创造出一个新世界（即人类的文明、文化世界），同时为自己也不断地创造了指向未来可以进一步自我完成的新条件和契机。② 从认知过程的角度来说，人借助工作实践

---

① K. Marx. Capital: A Critique of Political Economy, Vol. I (Harmondsworth: Pengiun Books, 1976), p. 283。强调号为笔者所加。亦参见 Marx, 'Economic and Philosophical Manuscripts' in Marx Early Texts, p. 156。

② 见 K. Marx. Grundrisse, pp. 505～508。Id., 'Economic and Philosophical Manuscripts' in Marx Early Texts, pp. 140, 155～157。亦参见 C. C. Gould, Marx's Social Ontology: Individual and Community in Marx's Theory of Social Reality. (Cambridge: The MIT Press, 1980), pp. 42～43, 111～128。B. Ollman, Alienation: Marx's Conception of Man in Capitalist Society (New York: Cambridge University Press, 1976), pp. 97～103。

的经验达至更真实的自我认识。① 因为现实生活上的知识,并非纯粹思辩上的抽象认知,而是透过具体实践使主体和客观世界能够互动的体验。②

以上从理论层次,申明人能够透过工作实践而获至自我创造和自我完成。当然,就伊川哲学的课题来说,自我完成并非广义地涵盖一般心智上和社会关系上的成长,③而是特指内在道德生命的提升。

然而,工作实践带来的自我完成,又如何连结起道德生命的操练?于伊川来说,工夫主要是落在意志的操练方面。盖道德生命之完成,是在乎对内心**意志的把持**。《遗书》卷廿五伊川云:

> 君子莫大于正其气,欲正其气,莫若正其志。其志既正,则虽热不烦,虽寒不栗,无所怒,无所喜,无所取,去就犹是,死生犹是,夫是之谓**不动心**。

这里所描述的,是"正其志"、"不动心"所带动的道德生命。因为有了内心的把持,意志就不会落入被外在情境支配的状态。与此"不被支配"的意志把持相反的,就是伊川所谓"心之躁者"。"心之躁者"是缺乏内在意志把持力的状态,其结果是"不热而烦,不寒而栗,无所恶而怒,无所悦而喜,无所取而起。"(《遗书》卷廿五)。故完成道德生命的工夫。"乃在于**持其志**"而"无暴其气耳。"(《遗书》

---

① 见 Marx, 'Economic and Philosophical Manuscripts' in <u>Marx Early Texts</u>, p. 153~155。

② 马克思对"认知"作为一种实践的历程(praxis),可参考 N. D. Livergood, <u>Activity in Marx's Philosophy</u> (The Hague: Martinus Nijhoff, 1967), pp. 12~26。亦参见 K. Marx, 'Theses on Feuerbach' in <u>Marx Early Texts</u>, pp. 156~158。

③ 当然就马克思而言,他所注重的主要是人在生产力和生产关系方面的成长。而他的重点,明显是社会性(政治经济学的)而非个体性的。参见 Gould, <u>Marx's Social Ontology</u>, pp. 34~68。

卷廿五)能如此者,就是所谓"德盛者":

> 德盛者,物不能扰而形不能病。形不能病,以物不能扰
> 也。故善学者,临死生而色不变,疾痛惨切而心不动。**由养之
> 有素也,非一朝一夕之力也。**(《遗书》卷廿五)

上引语最末两句指出,具内在意志把持力的"德盛者",并非一朝一夕可成,乃在于"养之有素"。然而如何"养"? 这正是工夫的问题。就工夫的次序来说,道德生命的完成在于不被物所扰(被支配)。要如此,就必须先不动心。要不动心,"须是执持其志"。① 从这工夫次序的两端,指向两个相互关连的核心性问题:一是为何道德生命的完成在于不被物所扰? 另一则是如何操练意志的把持力?

探索这两个问题,要从意志的"自决性"(voluntary)和意志的"非决性"(involuntary)的划分开始。意志的活动是作出抉择(to decide),而任何抉择的背后,都具有某些动机(motivation)在推动着的。② 然而,动机又可分为"自决性"与"非自决性"的两种类别。

"非自决性的动机"是来自人身躯直接的最基本需求。这些需求直接联系着人的生存而产生,利科(Paul Ricoeur)再划分为两种形态:一是令人的生存得以完成(complete its existence)所必需的(如食物、水分、性);另一是自卫性地对抗那些威胁其生存(threatens its existence)的需求(如自卫的本能)。这些需求紧抓着生存的最基层价值取向(primordial stratum of values),是身躯的天然

---

① 《遗书》卷十九:"问:"'有所忿懥、恐惧、忧患,心不得其正。'是要无此数者,心乃正乎?"曰:'非是谓无,只是**不以此动其心**。学者未到不动处,**须是执持其志**。'"

② 参见 P. Ricoeur, Freedom and Nature: The Voluntary and the Involuuntary (Evanston: Northwestern University Press, 1966), pp. 66~72。无动机推动的行动只是"无意识的随意行动"(arbitrary action,例如:不自觉的惯性小动作),不算是"意志的活动"。故"意志的活动"必须是有意识的自觉活动。

推动力。① 意志在此是一种**顺应**的活动。内在天然的需求（例：饥饿）在迎对其所需的外物（例：面包）的不存在（the absence）时，就产生期待获得满足（anticipation of pleasure）的欲望（desire）。②

"自决性的动机"则是主体要运用意志力量（will power）才能够作出决定的行动历程。意志在此是一种**逆取**的活动。意志的抉择跟当下天然的欲望冲突（例如为争取社会公义而绝食抗议）。在此，意志采取一种自决的状态（selfdetermination），而非由当下天然的欲望所推动。③ 而这种通过高层次价值取向而换取（exchange）和悬空（suspend）那直接天然欲望满足的意志活动，就正是道德生命的关键所在。盖如唐君毅在《道德自我之建立》中谓：

> 什么是真正的道德生活？**自觉的自己支配自己**，是为道德生活。……单纯的欲望根本是盲目的。所以你为满足欲望而满足欲望，不是你自觉的活动……在要求自觉的道德生活时，你是不应受任何盲目的势力支配的……我们的结论，是一

---

① 见本书第 100 页注②。第 85～99 页。

② 见本书第 100 页注②。第 99～104 页。利科在其论特别强调"非决性"的动机来自人躯体的天然需求。然按心理学者马斯劳（A. H. Maslow）的研究，人的基本需求（basic needs）具有五个层次：(i) 生理的需求；(ii) 安全的需求；〔以上两项的等同于利科所述的源自身躯非自决性的动机〕；(iii) 爱与被爱的需求；(iv) 被尊重的需求；(v) 自我实现的需求。参见 A. H. Maslow, 'A Theory of Human Motivation' in Motivation and Personality (New York: Harper and Row, 1970), pp. 35～58. 只要外在事物是迎对内在基本需求，就会同样自然地产生期待获得满足的欲望。意志在此亦是顺应的活动。例：期待获得自己挚爱的人的关怀（上述第[iii]需求）；期待获得他人称许和赞誉（上述第[iv]需求）；期待自己潜能获得实现（例如醉心绘画者获得机会去创作和完成他的作品）（上述第[v]需求）。

③ 见 R. E. Ornstein, The Psychology of Consciousness (Harmondsworth: Penguin Books, 1972), pp. 148～152. 亦参见 Ricoeur, Freedom and Nature. pp. 125～134.

切道德行为、道德心理之惟一共同的性质，即为**自己超越现实的自己的限制**……道德价值与快乐价值，不仅不同，而且**正相反**。道德价值正在**超越快乐价值**之处表现。①

这正是伊川所言："**君子**所以异于禽兽者，以有仁义之性也。**苟纵其心**而不知反，则亦**禽兽**而已。"（《遗书》二十五）

综合以上所论，人心与外物相应，在乎三者之间的关系。此三者为：人当下直接天然的**欲望**，意志的抉择和当下迎对的**事物**。就道德哲学而言，这三者之间可以有四种不同的可能关系：

1. "迎对之事物"正能满足"当下直接天然的欲望"——"意志"若决定**接取**，是一种**顺应**的活动。此中**无须**运用意志力量。（例：饥饿者选取吃眼前的筵席）

2. "迎对之事物"与"当下直接天然的欲望"冲突——"意志"若决定**拒绝**，也是一种**顺应**的活动。此中亦**无须**运用意志力量。（例：冬日清晨瞌睡者拒绝到屋外晨运）

3. "迎对之事物"正能满足"当下直接天然的欲望"——"意志"若决定**拒绝**，是一种**逆取**的活动。此中**必须**运用意志力量。（例：饥饿者拒绝选取吃眼前的筵席）

4. "迎对之事物"与"当下直接天然的欲望"冲突——"意志"若决定**接取**，也是一种**逆取**的活动。此中亦**必须**运用意志力量。（例：冬日清晨瞌睡者决定起床到屋外晨运）

基本上说，上述前两种情况，并无不妥，是人天然性之所向。然而，就道德生命的完成及提升而言，人必须具有**意志逆取的力量**，此即上述后两种情况。伊川曰：

---

① 唐君毅：《道德自我之建立》（香港：人生，1963），第 15, 24, 28, 32, 35 页。亦参见牟宗三：《道德的理想主义》（台北：学生书局，1978）之"理性的理想主义"章（第 13～19 页）。

> 口目耳鼻四支之欲,**性也;然有分焉**,不可谓我须要得,是有命也。**仁义礼智**,天道在人,赋于命有厚薄,是命也,然有性焉,可以学,**故君子不谓命**。(《遗书》卷十九)

盖伊川认为,"逐物"只是"欲"。若要成就道德生命,必须连于"天理"。这"天理"存诸人之"心",运用处则是"意"。故"意"若要循"天理",必须与"逐物"之"欲"分别开来。这正是伊川在《遗书》卷二十二上所言:

> 伯温又问:"孟子言心、性、天,只是一理否?"曰:"然。自理言之谓之**天**,自禀受言之谓之**性**,自存诸人言之谓之**心**。"又问:"凡运用处是心否?"曰:"是意也。"棣问:"意是心之发否?"曰:"有心而后有意。"……伯温又问:"人有逐物,是心逐之否?"曰:"**心则无出入矣,逐物是欲**。"

既然上述前两种情况是顺欲、逐物,循天理的道德工夫就落在后两种情况的操练上面。用伊川的道德哲学来说,第3项的操练就是"窒欲"的工夫,而第4项的操练就是"处物"的工夫。

所谓"操练",就是透过重复的实践,使之成为自己的一种"习性"(habit)。按利科的剖析,"习性"跟未经训练的"非自决性"本能反应(involuntary impulsive automatism)不同(例如懂得游泳与不懂游泳者在水中不同的拨动表现)。"习性"是由意志主动支配、受控制的纯熟技巧(voluntary performed skill)。① 利科认为"习性"包含三方面:我**获得**一种新的认识(I have learned),这习性成为我**生命的一部分**(I have acquired a habit),我有**力量**去运用出来(I can do)。操练的目的,就是要获得这种扭转本能反应的运作力量(a power, a capacity)。故操练纯熟的习性虽然好像自然地运作出来(spontaneously perform),其实它是受意志所操纵,在意

---

① 见 Ricoeur, Freedom and Nature, pp. 280~292。

决的时间和方式将先存的内在联系(preexisting internal coordination)释放出来。

要成就道德生命的工夫,意志就需要有**逆取**的力量,而这力量的运作则来自**操练**,使之成为**习性**。

"窒欲"的操练(上述第3项的操练),在于以"礼"及"天理"的反省,成就一种更高层次的价值取向,去**换取**当下直接天然的欲望。故伊川曰:

> 然则何以窒其欲?曰思而已矣。学莫贵于思,**惟思为能窒欲**。曾子之三省,窒欲之道也。(《遗书》卷廿五)

又云:

> 视听言动,非理不为,即是礼,礼即是理也。不是天理,便是私欲。(《遗书》卷十五)

此中伊川并非提出一种**本体论**的主张,以外物为不善(intrinsically evil),而是提出一种**工夫操练**上的主张。因为伊川明言"寡欲"的目的在"养心",是一种工夫的进路,旨在扭转生命之"所向"。①故伊川并不赞成"绝欲",而是将重点落在"防"、"戒"的操练上:

> 礼仪三百,威仪三千,非绝民之欲而强人以不能也。所以**防其欲**,戒其侈,而使之入道也。(《遗书》卷廿五)

而"处物"的操练(上述第4项的操练),就在于以外物的客观规范,去琢磨内心意志的自决力量。于伊川而言,天理遍在于万物之中,是为物之"则"。人能按物之则而处之而不动于欲,是为"止"。能止之于物而各得其所,就是圣人之道。这是伊川在《周易程氏传》卷四诠释"艮"卦所表达的见解:

> 艮止者,**安止之义**,**止其所也**。……人之所以不能安其止者,**动于欲也**。**欲牵**于前而求**其止**,不可得也。

---

① 《遗书》卷十五:"养心莫善于寡欲,不欲则不惑。所欲不必沈溺,只有所向便是欲。"

此中对"欲"的转化,并非在"窒欲",而是将意向相反地**指向那些并不属于"欲"的对象**——《周易》名之为"其背",伊川将"背"解作"背乃背之,是**所不见**也。""所不见"乃是指"欲"以外的对象。故伊川曰:"止所不见,则无欲以乱其心,而止乃安。"盖"在背,则虽至近**不见**,谓**不交于物**也。外物不接,内欲不萌,如是而止,乃得止之道,于止为无咎也"。此是能"**正得其所**"。伊川不但提议止于欲以外之对象为操练,亦指出"得其所"也包括"行止动静"之"时":

> 艮为止。止之道,唯其时;行止动静不以时则妄也。不失其时,则顺理而合义。**在物为理,处物为义**。动静合理义,不失其时也,乃其道之光明也。**君子所贵乎时**,仲尼行止久速是也。

无论是"止"、是"时",都是按着外物的动静快慢,去约束、琢磨自我意志,**与之相应**,这亦是操练转化"欲"的工夫。相反来说,"若当行而止,当速而久,或过或不及,皆出其位也,况逾分非据乎?"

从上所述,可见意志通过逆取的活动,将意向指向欲以外的对象,选取与当下直接天然欲望相冲突的事物;再加上按外物的动静快慢客观规范去约束琢磨内心意志的自决力量,就是一种能"**止其所**"的应物操练。伊川结论谓:

> 夫有物必有则,父止于慈,子止于孝,君止于仁,臣止于敬。万物庶事莫不各有其所。得其所则安,失其所则悖。圣人所以能使天下顺治,非能为物作则也,惟止之各于其所而已。①

如此看来,诸如"洒扫"等日常的起居生活,亦可以成为一种应物的

---

① 《遗书》卷十五载伊川一段话,亦可作总结:"人多思虑不能自宁,只是做他心主不定。要作得**心主定**,惟是**止于事**……人不止于事,只是揽他事,不能使物各付物。物各付物,则是役物。为物所役,则是**役于物**。**有物必有则,须是止于事**。"

操练。透过"洒"与"扫",让意志选取天然惰性以外的活动,又让洒扫对象的动静快慢客观规范,去约束琢磨内心意志那种能"止其所"的自决力量,也正是一种操练意志能逆取而成就道德生命的工夫。故伊川曰:"圣人之道,更无精粗。从洒扫应对至精义入神,通贯只一理。**虽洒扫应对,只看所以然者如何**。"洒扫是日常起居的活动,但若以其作为意志逆取力量的操练,成为意志力的习性,亦是成就圣人之道的道德工夫。

其实所谓"圣人",并非不食人间烟火而绝欲的别一等人。他们亦有如常人之共同生活场合,也有喜、怒、哀、惧、爱、欲等情感。不过所不同者,是圣人用一种**转化了的意志**(transformed will)逆取力量,去不受外物所役、所扰,而成就循天理的道德工夫。①

(3)"敬"作为涵养的工夫

既然伊川的"洒扫应对"作为道德实践的工夫,是落在意志的意向上,问题就自然连结起他对"敬"的理解了。盖如朱熹谓:"程先生所以有功于后学者,最是敬之一字有力。"又云:"敬者工夫之妙,圣学之成始成终者皆由此。秦汉以来,诸儒皆不识这敬字。直至程子方说得亲切。"②对"敬"字之体会,诚然可以总括伊川道德哲学中论涵养的工夫。而"涵养须用敬,进学则在致知"(《遗书》卷十八)一语自北宋以来,已成为宋明儒学一贯之教。

上文已详论"敬知"如何成为提升道德生命的工夫。然而,无论是读圣贤典籍、读史、日常生活中与他人交往的沟通行动或应接外物之行止动静,只是构成道德生命提升的**契机**,并**不必然地**成就

---

① 参见《河南程氏外书》卷十:"圣人未尝无喜也,'象喜亦喜';圣人未尝无怒也,'一怒而安天下之民';圣人未尝无哀也,'哀此茕独';圣人未尝无惧也,'临事而惧';圣人未尝无爱也,'仁民而爱物';圣人未尝无欲也,'我欲仁,斯仁至矣'。**但中其节,则谓之和。**"

② 《朱子语类》卷十二。

道德提升的工夫。盖人可以读圣贤典籍而厌成圣之道,读史而昧于真实地存在的重现,与他人交往而更陷入自私自利及争斗之中,应接外物而益为物欲所扰所役。能将这些道德生命提升的可能契机(possibility)转成为道德生命提升的**事实**(actuality),关键就落在一己**意志的抉择**之中。这正是伊川的致知之教必须配以"敬"方面的意志培养和省察。① 正如海德格在其《存有与时间》亦指出,"往死之存在"(das Sein zum Tode)与"良心之呼唤"(Ruf des Gewissens)虽然标志着人能够真实地存在(authentic existence)的可能契机,②但人面对死亡或听闻良心的呼唤,并不是必然地成就生命更真实的提升,反而可能更消沉和畏缩。海德格指出,要使这可能的契机成为真实地存在的事实,在于主体"意决去选取"(choosing to make this choice)。③ 即是说,主体意志的抉择,是令此契机成为事实的关键和必要条件。

就伊川的哲学来说,上一节言"处物"作为道德实践的操练工夫,亦已论及意志之逆取与自决力量,在此不再复述。而在总括的

---

① 参见劳思光:《中国哲学史》(三),第261页。
② 参见 Heidegger, Being and Time. "Division Two", chs. I, II.
③ 见同②,第312~314页,"This must be accomplished by making up for not choosing [Nachholen einer Wahl]. But 'making up' for not choosing signifies choosing to make this choice- deciding for a potentiality-for-Being, and making this decision from one's own Self. In choosing to make this choice, Dasein makes possible, first and foremost, its authentic potentiality-for-Being... To the call of conscience there corresponds a possible hearing. Our understanding of the appeal unveils itself as our wanting to have a conscience [Gewissenhabenwollen]. But in this phenomenon lies that existentiell choosing which we seek-the choosing to choose (Wählen der Wahl) a kind of Being-one's-Self which, in accordance with its existential structure, we call 'resoluteness'".

意义上,伊川则以"敬"的观念论述涵养过程中"意志上用功之法门"。① 劳思光先生认为,伊川讲"敬"时,"显然所指为意志状态或方向问题",盖"涵养即指意志上之存养工夫"。② 然"敬"如何成为涵养的意志工夫?此即引入伊川以"直内"与"主一"解"敬"的论点。

伊川解"敬"作"直内",当然取源自《周易·系辞传》中之"敬以直内,义以方外"一语。然伊川取之而加以发挥。在其《周易程氏传》卷一解"坤"卦中云:

> 直言其正也,方言其义也。君子主敬以直其内,守义以方其外。**敬立而内直**,义形而外方。义形于外,**非在外也。敬义既立**,其德盛矣。不期大而大矣,德不孤也。

《遗书》卷十五谓'敬''则只是**内**。存此,则自然天理明。学者须是将'敬以直内'涵养此意。**直内是本**。"《遗书》卷十八又云:"切要之道无如'敬以直内'。"此中可见伊川以'敬'是一种**内在自我要求的态度**。这种自己对自己的道德要求,并非来自外在形势的要求或功利情境所需,而是一份'持己'和'执持心术'的工夫。③ 故'直内'是一种内在纯粹道德意志之自律性的把持(借用康德的说法)。④ 正如劳思光先生所言:"'敬'即是不怠不苟之意。"⑤可见"直内"的工夫是最基础性、根源性的道德意志的自律和把持。这种纯粹的意志自律性是**不依赖**、亦**先于**一切经验的条件(empirical

---

① 劳思光:《中国哲学史》(三),第262页。
② 同①,第269页。故《遗书》卷十八载:"问:'敬还用意否?'曰:'其始安得不用意?若不用意,却是都无事了。'"
③ 《遗书》卷十八:"敬只是**持己**之道,义便知有是有非。"《遗书》卷二十二上:"伯温又问:'心术最难,如何**执持**?'曰:'**敬**'。"
④ 《遗书》卷十五谓:"率气者在志,**养志者在直内**。"故"直内"是一种把持道德意志的工夫。
⑤ 劳思光:《中国哲学史》(三),第269页。

conditions),故此是一种"意志的先验原则"(a priori principle of willing)。① 康德在其《实践理性底批判》卷一第三章亦言:

> 尊敬道德法则是这惟一而又无可疑的道德动力,而此尊敬之情除基于道德法则上,是并不指向任何对象(存有)的。道德法则首先在理性底判断中客观地而又直接地决定这意志。②

故伊川认为"敬以直内"的结果,就是"有主于内"的道德意识状态:

> "敬以直内",有主于内则虚,自然无非僻之心。如是,则安得不虚?"必有事焉",须把敬来做件事著。此道最是简,最是易,又省工夫。为此语,虽近似常人所论,然持之久必别。(《遗书》卷十五)

若能紧扣住"敬"的"直内"工夫,就可以成就内心"有主"的把持。这"有主"的内心把持,伊川名之曰"主一"。所谓"主一",重点不在此"一"为何事物,而是**对比着心之散乱**状态而言。能"主一",就能够"无二三"、"无适"。《遗书》卷十五云:

> 所谓敬者,主一之谓敬。所谓一者,无适之谓一。且欲涵泳主一之义,一则无二三矣。言敬,无如圣人之言。《易》所谓"敬以直内,义以方外",须是**直内,乃是主一之义。**

盖"人心不能不交感万物,亦难为使之不思虑。若欲免此,**惟是心**

---

① 参见 Ricoeur, Freedom and Nature, pp.130～134 之讨论。
② 中译取自牟宗三:《康德的道德哲学》(台北:学生书局,1982),第254页。康德之《道德底形上学之基本原则》第一节亦言:"一善的意志之为善,并不是因为它所作的或所致生的而为善,亦不是因着它的适宜于达成某种疑义的目的而为善,而乃单是因着决意之故而为善,那就是说,它是其自身即是善的。"(牟宗三:《道德哲学》,第 16 页)劳思光:《中国哲学史》(三),第69页亦言:"涵养即指意志上之存养工夫,乃纯就内界言,不必牵往对象处;此是'敬'与'致知'之不同。"亦参见杨祖汉:'程伊川的才性论',《鹅湖》第129期(1986):30～38。

**有主**。如何为主？敬而已矣。有主则**虚**，虚谓邪不能入。无主则实，实谓物来夺之……大凡人心，不可二用，用于一事，则他事更不能入者，事为之主也。事为之主，尚无思虑纷扰之患，若主于敬，又焉有此患乎？"（同上）伊川独特地以"虚"描述"主一"，是强调"**主一**"是一种**无对象的凝聚状态**。意志在道德意识上由有对象之凝聚状态，而进升至取消对象后（甚至对象不出现）仍然能持此凝聚的状态，是绝对不受外物干扰之"主一"，才算是绝对的"无适"。用现象学的词汇来说，"敬"就是一种纯粹的道德意向性（moral intentionality）。于此，意志显出其绝对自决之把持力量。心不动则外在之物不能扰、内在思虑亦不纷扰。① 是以唐君毅理解"伊川谓主一之敬，实只是使心不散乱，不东西彼此奔驰，而凝聚在此，即常住于中……心不定在东西彼此之物之上，而恒存此心以为主，更不间断，即是主一"②。

  从上面所论，可见"敬"是一总括性的涵养工夫，是使格物致知

---

  ① 《遗书》卷二十一下："**不动心**有二：有造道而不动者，有以义制心而不动者。此义也，此不义也，义吾所当取，不义吾所当舍，此以义制心者也。义在我，由而行之，从容自中，非有所制也，此不动之异。"《遗书》卷十八云："昔吕与叔尝问为**思虑纷扰**，某答以但为心无主。**若主于敬，则自然不纷扰。**"《遗书》卷二十五："德盛者，**物不能扰**而形不能病。形不能病，以物不能扰也。"由此可见，能"主一"就能"诚"，就能"闲邪"。故伊川亦喜以"闲邪"解"敬"："敬是**闲邪**之道。闲邪存其诚，虽是两事，然只是一事。闲邪则诚自存矣。"（《遗书》卷十八）又云："闲邪存诚，闲邪则诚自存。如人有室，垣墙不修，不能防寇，寇从东来，逐之则复有自西入；逐得一人，一人复至。不如修其垣墙，则寇自不至，故却闲邪也。"（《遗书》卷十五）故可谓："闲邪则固一矣，然**主一则不消言闲邪**。"（《遗书》卷十五）
  ② 唐君毅：《中国哲学原论》（原教篇）（香港：新亚研究所，1975），第191页。

所铺陈的契机,成为道德生命提升的事实的关键和必要条件。①所谓"敬"的工夫,是在于内心道德意志的把持。由"直内"之道德意志自律出发,成就"主一无适"的凝聚状态。在这种道德意志绝对自决的把持力量中,外物不能役、内心思虑不能纷扰。如此,正是圣人境界,亦是伊川道德工夫论之最终目的。故伊川言:

> 圣人之道,更无精粗,从洒扫应对至精义入神,通贯只一理。然而,切要之道,无如"敬以直内"。(《遗书》卷十五)

**(四)观天地万物气象而感应德性生命之义理**

以上三节分论伊川"格物穷理致知"工夫在实践上的不同进路,涉及的认知对象有圣贤典籍、历史人物、日常生活中与他人的沟通行动和日常生活中应接外物的实践。按伊川所言,穷理致知工夫还有"察物情"一环。所谓"察物情",并不同于应接外物的实践。后者是主体与外在世界直接交接的体验。而"察物情"则是主体透过静观天地万物气象,而感应自身道德生命之转化的体会。前者是"应物",后者则是"观物"。

(1)观物察己的本体学根据

所谓"观物",并非将主体与所观之天地万物放在一个主、客对立的架构去观察和研究。盖就传统的中国文化与中国哲学思想而言,自然宇宙并非被视为一纯粹外在、具超越的必然律的科学研究和观察的对象。中国人的自然宇宙,是一个有情的、有创生性、可以与人感通的世界。方东美说:

> 中国人的宇宙不仅是机械物质活动的场合,而是普遍生命流行的境界……宇宙根本是普遍生命之变化流行,其中物质条件与精神现象融会贯通,而毫无隔绝。因此,我们生在世界上,不难以精神寄色相,以色相染精神,物质表现精神的意

---

① 故《遗书》卷十五伊川谓:"格物亦须积累涵养。"到了"悠久"、"差精",就"人则只是旧人,其见则别。"

义,精神贯注物质的核心,精神与物质合在一起,如水乳交融,共同维持宇宙和人类的生命。①

这是较概括性的描述。从分析的角度来说,自然宇宙无论如何,诚然是人主体以外之存在(externalized existence)。然对于人主体的相接形态上,却可以有"主、客相对立"抑"非主、客相对立"的相遇(encounter)之不同。

然而如何才算是"非主、客相对立"之情意性的相遇(personal encounter)？在此我们可借用沙利文(Robert P. Scharlemann)所提议的词汇作描述。他认为日常用语中"主观的"(subjective)和"客观的"(objective)两词已带有一定程度的价值判断含意。因此他提议一对新词汇"主体性的"(subjectival)和"客体性的"(objectival)作为描述不同的相遇关系。凡是从有情意的主体(personal agent)出发的,就称为"主体性的";凡是在相遇关系中从主体以外的存在而来的(any existence on the other side of the relation),则称为"客体性的"。② 如此,我们不单只有"主体"(subject)或"客体"(object),而且可以有"客体性的主体"(objectival subject)——例如一个与我正在对话中的人,他是"客体性的"存在,但他是一个有情意的主体;这不同于我身边的一张桌子,它只是一"客体性的客体"(objectival object)。同样地,我们亦可以有"主体性的客体"(subjectival object)——例如作为主体思维对象的桌子的概念。它不同于客体地存在于外的那一张桌子,亦不同于那"我思"的主体(subjectival subject)。值得注意的是,这些词汇的运用是从**关系**去定义,而非独立地专指某一类别之存在。例如在大工厂生产

---

① 方东美:《中国人生哲学》(台北:黎明文化,1987),第 16～17 页。

② 参见 R. P. Scharlemann, Reflection and Doubt in the Thought of Paul Tillich (New Haven: Yale University Press, 1969), pp. x～xi。沙氏只提出此词汇,本文随后所论则为笔者推演之见解。

线上无创意地重复动作的劳工,虽然是人,但对于拥有此工厂的资本家而言,此劳工只有工具价值(instrumental value),跟机器中一颗随时可被替换的螺丝钉无异。如此的关系和存在情态下,劳工在资本家的眼中亦可只被视为"客体性的客体"。相反地,若我身边的桌子,是我自己用心血花了数周的工夫从粗糙木头创造出来的,则它虽然是一客体,但与我有一种特殊的生命关联,是由我生命所出的、属于我生命的一部分。如此,这独特的桌子于我来说亦可视为一"主体性的客体"。

运用以上的厘清词汇和关系描述,我们可以更仔细地陈述在中国哲学理解中的自然宇宙观。对伊川来说,这与人主体可以有情意性相遇的自然宇宙,是"客体性的主体",亦是"主体性的客体"。

先说自然宇宙作为"**客体性的主体**"(objectival subject)。此即是视自然宇宙为**有情意**、可以与之**感通的对象世界**。所谓"有情意"和"可以与之感通",是指中哲肯定自然宇宙并非一"封闭的宇宙"(closed universe)而是一"开放的宇宙"(open universe)。这自然宇宙并非终极地由一套既定的定律所规定和支配,而是一绵绵不绝、在时间中不断创化的历程(becoming)。这可以说是"一套动态历程观的本体论"。① 这种动态历程的自然宇宙观,正是伊川所持的。他在《周易程氏传》中解"恒"卦谓:

> 天下之程,未有不动而能恒者也。动则终而复始,所以恒而不穷。凡天地所生之物,虽山岳之坚厚,未有不能不变者也,故恒非一定之谓也,一定则不能恒矣。惟**随时变易,乃常道也**,故云利有攸往。明理之如是,惧人之泥于常也。

自然宇宙不但流衍变化,而且生生不息地具有**创生性**。伊川解

---

① 参见方东美:"中国形上学中之宇宙与个人",《**生生之德**》(台北:黎明文化,1979),第288~291页。

"否"卦言：

> 天地交而万物生于中……天地不交，则不生万物……**消长阖辟，相因而不息**。泰极则复，否极则倾。无常而不变之理。(《周易程氏传》"否"卦)

《遗书》卷十五亦言："生生之理，自然不息……有生便有死，有始便有终。"这创生性自然宇宙观的根本信念，是认为天地万物之间，是具有**相互变化的有机关系**。唐君毅称之为"视物皆有虚以涵实"的生化历程：

> 物如何表现生之理、将生起何种事象，可随所感通之其他物之情况，而多少有所改变。因而一物之性之本身，即包含一随所感而变化之性……盖物皆由其与他物感通之德，以见性，是一物之本性，能涵摄他物，即**物中有虚**也。物之与他物感通，而能生起事象，依于生生不息之理以开新，即不全受过去之习惯所机械支配，亦不全受外力机械决定，亦无一超越之特殊形式，以限定其所生起之事，为某一特殊之形式之事。皆**实中有虚**也。①

在这天地万物**互动**、**互变**的历程中，自然宇宙是一有机的整体(organic whole)，各部分依其他部分而起、而存、而变。而人亦在其中，成为此万物相涵相摄的生化历程的一部分。故万物之创化，与人自身生命的流转，亦息息相关，互动互变。伊川基于这对人与万物互动互变历程的信念，提出他对《周易》"复"卦(䷗)的独特见解，他根据"复"卦卦象最下面是一阳爻，及《彖辞》谓"复其见天地之心乎"一语，而谓：

> 消长相因，天之理也。阳刚君子之道长，故利有攸往。一阳复于下，乃天地生物之心也。先儒皆以静为见天地之心，盖

---

① 唐君毅：《中国文化之精神价值》(台北：正中书局，1973)，第66~67页。

不知**动之端乃天地之心也**。非知道者,孰能识之?(《周易程氏传》"复"卦)

伊川答苏季明问"善观者"是否在"静观"时,说得更清楚:

> 人说"复其见天地之心",皆以谓至静能见天地之心,非也。《复》之卦下面一画,便是动也,安得谓之静?自古儒者皆言静见天地之心,唯某言动而见天地之心。(《遗书》卷十八)

伊川以"动观"取"静观",是强调主体在动态的生化历程中与天地万物相遇,而非静态地将"观者"与"被观者"(自然宇宙)视为主、客相对的关系。盖从本体学的角度而言,主体与天地万物同源于、同属于一宇宙性之"大存有"(Being),故对于人作为一主体来说,自然宇宙亦可视为那"**主体性的客体**"(subjectival object)。即意谓天地万物**并非外在**的、于主体无关的存在,而是与主体有生机的关联,**是主体生命的一部分**。这正是伊川言"天下只有一个理"的本体学。《遗书》卷十八云:

> 天下只有一个理,既明此理,夫复何障?若以理为障,则**是己与理为二**。

又云:

> "大而化之",只是谓**理与己一**。其未化者,如人操尺度量物,用之尚不免有差;若至于化者,则**己便是尺度,尺度便是己**。(《遗书》卷十五)

本体学地说,天地万象变化只是一理的分殊表现而已。此影响宋明儒学甚深之"理一分殊"说,见于伊川《周易程氏传》解"咸"卦:

> 天下之理一也,涂虽殊而其归则同,虑虽百而其致则一。
> 虽物有万殊,事有万变,统之以一,则无能达也。

此中之"理",并非一抽象、超越的理,乃是必须在具体自然宇宙的创化历程中自我呈现之"理"。即是说,"理"与"理之具体呈现"根本不能分开。此点在本章上文论疏解伊川之问题时已指出,在此不再复述。① "理"与"理之呈现"不能界分的本体学,我们可以参考海德格对真理的"实存－本体"基础(existential-ontological foundation)的见解。② 在他一贯的作品中,海德格根据"真理"的希腊文'alētheia'的字源,希腊哲学家巴曼尼德斯(Parmenides)的"残片"及亚理士多德(Aristotle)的《形上学》(Metaphysica)对"真理"与"存有"的论述,强调"存有之真理"(Being-true)即"存有之呈现"(Being-uncovering)。他说:

> 从本体学来说,若要令"存有之真理"作为"存有之呈现"是可能的话,我们必须将此建立在"存有之在世性"(Being-in-the-world)的基础上。这"存有之在世性"现象——我们已知道这是"人的在此存在"(Dasein)的基本情态——是真理的源始现象的**基础**。③

这种对即"存有"即"存有之自我呈现"之理的理解,是从**本体学**角度对伊川的自然宇宙观的补充。反向地,从**实存现象**的角度来说,既然自然宇宙就是理之自我呈现的创化历程,故每一个别事物之理,亦同样地可以成为是通往(open up)、揭示(disclose)"存有"的进路。④ 伊川云:

> 格物穷理,非是要尽穷天下之物……**如千蹊万径,皆可适**

---

① 唐君毅:《中国文化之精神价值》(台北:正中书局,1973),第83～88页。

② 见 Heidegger, Being and Time. §43,44。

③ 同②,第261页。

④ 因此在海德格的后期作品中,"存有"被视为偶然具有一种主动的启示性,而非被动地等待人去发现、发掘。参见其 Discourse on Thinking (New York: Harper & Row, 1966), pp. 60～68; 'The Way to Language' in On the Way to Language (New York: Harper & Row, 1971), p. 127; 'The Turning' in The Question Concerning Technology and Other Essays (New York: Harper Colophon Books, 1977), p. 47。

国,但得一道入得便可。所以能穷者,只为**万物皆是一理**。至如一物一事,虽小,皆是理。(《遗书》卷十五)

天地万物,到处都是通往天理途径,这正是"观物"的本体学基础。盖既然人与天地万物同源于、同属于一宇宙性之"存有","人理"与"物理"相贯通地在本体学意义上共于一理,是故发生于天地万物的生机创化运转,处处皆可以成为观者**自身生命**的启迪。这正是伊川著《周易程氏传》的重心和信念。"易序"曰:

> 《易》之为书,卦爻象象之义备,而天地万物之情见……散之在理,则有万殊;统之在道,则无二致……故〔知《易》者〕得之于精神之运,心术之动,与天地合其德,与日月合其明,与四时合其序,与鬼神合其吉凶,然后可以谓之知《易》也。

综观伊川之《易传》,一改"汉易"、甚至邵康节对《易》作数象、占卜的理解和运用,而代之以德性生命义理的诠释。这种道德义理的诠释方法,就是根据上文所述的两方面相连的信念:本体学上说,在物之理与在人之道德义理贯通于一。实践上说,既然物我一理,故观物而察己,亦可以转化和提升自身的道德生命。①《遗书》卷十八载:

> 问:"观物察己,还因见物,反求诸身否?"曰:"不必如此说。**物我一理,才明彼即晓此,合内外之道也**。语其大,至天地之高厚;语其小,至一物之所以然,学者皆当理会。"又问:"致知,先求之四端,如何?"曰:"求之性情,固是切于身。然一草一木皆有理,须是察。"

又云:"观物理以察己,既能烛理,则无往而不识。"(《遗书》卷十八)故伊川对识《易》的见解是:"安有识得《易》后,不知退藏于密?"

---

① 伊川《周易程氏传》的诠释方法,皆是先引述《周易》之"卦辞"、"爻辞",略加解释,然后将此在物之理引申至人的德性生命方面的义理。故观物而见人生,而归于德性生命之道。

(《遗书》卷十五)而所谓"退藏于密",是指"密是用之源,圣人之妙处。"(《遗书》卷十五)即是说,识得《易》的人,就能把捉圣人生命的学问。①

(2) 观物察己的工夫

以上言观物察己之所以可能的形上根据,而归结于伊川的自然宇宙观。然如何在实践上完成观物以察己的工夫?则是本节所探索的课题。

在伊川"格物、致知"的现象学与本体学中,我们可以看见有双重的"循环诠译"(hermeneutic circle)的历程。②

首先是"存有"与"存有之自我呈现"之间的循环。于伊川而言,从天地万物**本源**之理方面说,"理"并非另一抽象、静态的存有,而是在具体事物的生机创化历程中呈现、揭示其自己。而从**个别事物**之理方面说,既然它们自身就是本源之理的呈现,故"如千蹊万径,皆可适国",一切都是开启和通往天地万物本源之理的进路。这正是海德格所言"存有"(Being)和"存在"(existence)之间的循环诠释。两者之间有相互依赖性(reciprocity),而不能分别孤立地被体察。③ 对"存有"的体察和诠释历程的本身,也就是"存有"展露、揭示其自己的历程。对"存有"的诠释,与"存有"之自我呈现,

---

① 《遗书》卷十九杨遵道记录伊川解《易》之语录数十条,皆言其引申之德性生命义理。例如:"生《易》,且要知时。凡六爻,人人有用。圣人自有圣人用,贤人自有贤人用,众人自有众人用,学者自有学者用;君有君用,臣有臣用,无所不通。"

② 关于"循环诠释"之研究与陈述,参见 Heidegger, Being and Time, §32 'Understanding and Interpretation'; H. G. Gadamer, Truth and Method (New York:Crossroad,1989), pp. 265~307。

③ 参见 J. Macquarrie, 'Heidegger's Earlier and Later Work Compared' in Thinking about God (London:SCM,1975), p. 197。

是互为因果地成为一"开展和索源的互赖性"。① 成中英先生称之为"本体诠释学"(Ontohermeneutics)。②

另一组的循环诠释,就是观者对天地万物的诠释和理解的历程。盖既然人作为观者与天地万物是同源于、同属于一宇宙性之"大存有",人理与物理之间就并非主、客对立的两个世界,而是有更深层的共通性和相互依赖性。因此观物可以察己,物我是一理。从观者的立场说,观物的工夫并非在于静摄地"穷究其超越之所以然之理"然后再"反躬"于己,③或是从客观对象去摄取共相的过程。乃是透过与事物变化的相遇而**感应**起内在生命的转化。伊川用"感应"的观念去描述天地万物之间的相遇,是在于强调万物皆不外是一理之分殊呈现,故它们之间是以"对"的平衡关系存在,从而其间的互动和相互创化循环亦以**一感一应**、**相感相应**的情态运作。④《周易程氏传》解"咸"卦云:

> 天下之理一也。涂虽殊而其归则同,虑虽百而其致则一。虽物有万殊,事有万变,统之以一,则无能违也。故贞其意,则

---

① Heidegger, Being and Time, p. 28, "In the question of the meaning of Being there is no 'circular reasoning' but rather a remarkable 'relatedness backward or forward' which what we are asking about(Being)bears to the inquiry itself as a mode of Being of an entity. Here what is asked about has an essential pertinence to the inquiry itself, and this belongs to the ownmost meaning [eigensten Sinn] of the question of Being." 亦参见同书 § 32 'Understanding and Interprstation'。

② 见成中英:"方法概念与本体诠释学——一个方法论的新建构",《中国论坛》第 19 卷(1984):49~54。亦参见 T. Leung, 'The Fang-fa(Method) and Fand-fa-lung (Methodology) in Confucian Philosophy' (Ph. D. dissertation, University of Hawaii, 1986). pp. 148~158。

③ 见牟宗三:《心体与性体》(二),第 396,398,282 页。

④ 参见市川安司:《程伊川哲学の研究》,第 202~215 页。

穷天下无不感通焉……感,动也,有感必有应。凡有动皆为
感,感则必有应,所应复为感;感复有应,所以不已也……君子
潜心精微之义,入于神妙,所以致其用也。①

从"感应"的立场去理解"观物察己"的历程,则天地万物之变化对
观者而言是一个"感",在观者的内在世界触起一个"应"。这"应"
的呈现,并非一外加于主体的认知,而是将主体固有、先存之理触
发起而呈现出来。故伊川《遗书》卷十五言:

"寂然不动",万物森然已具在;"感而遂通",感则只是**自
内感**。不是外面将一件物来感于此也。

从这感应相依、循环往复的角度,观物是触起人的自明(self-clari-
fication)的历程。由此可见,观物致知的历程中,"理"之根源不在
外物(或超越之理),而是观者所固有。观物是**触发起**内在生命之
理的呈现的**契机**。《遗书》卷二十五云:

"致知在格物",**非由外铄我也,我固有之也**。因物有迁,
迷而不知,则天理灭矣,故圣人欲格之。

又云:

**知者吾之所固有,然不致则不能得之**,而致知必有道,故
曰"致知在格物"。

于此,"观物"与"明己",就并无外与内、先与后严格的对立和界分。
故伊川亦一再强调:

冲漠无朕,万物森然已具,**未应不是先,已应不是后**。如
百尺之木,自根本至枝叶,皆是一贯,不可道上面一段事,无形
无兆,却待人旋安排引入来,教入涂辙。既是涂辙,却只是一
个涂辙。(《遗书》卷十五)

又云:

"寂然不动,感而遂通",此已言人分上事。若论道,则**万**

---

① 《遗书》卷十五言:"天地之间,**只有一个感与应而已**,更有甚事?"

**理皆具,更不说感与未感。**(《遗书》卷十五)

海德格在《存有与时间》第三十二节论"理解与诠释"中就指出,"理解"并非随便地从外界吸进一些知识,而乃是主体先存构结(fore-structure)的开展(disclosure)和揭示(unconcealment),是主体朝向更多可能性(being-towards-possibilities)的自我发现历程。①

在这观物与明己的循环诠释历程中,不但事物的变化可以触起人内在生命固有之知的感应,相反来说,**内在生命如何亦支配着我们在观物中看到了什么**。正如海德格所说,一切理解都是一项诠释的历程,而"一项诠释历程永远不会是对在我面前的事物一项无预设的认知历程(a presuppositionless apprehending)。② 伽达默进一步解释和发挥其中的意义:一个人当他尝试去理解一件事物的时候,其实他不可避免地已将自己内心世界投射出去。当他开始接触这件事物的时候,他已经带着某些特别的期待去把捉这事物对他的意义。因此他是不断地将某些特别的意义投射在所要理解的事物之上。③ 具体地说,一件事物呈现于观者的面前,其本身可以具有无限的可能意义和诠释角度。而观者的气质、过往经验所构成的世界观和价值取向,就会在大脑中形成自动的选取机

---

① Heidegger, Being and Time, pp. 188~195。参见 Palmer, Hermeneutics, p. 131, 'For Heidegger, understanding is the power to grasp one's own possibilities for being, within the context of the lifeworld in which one exists... Understanding is conceived not as something to be possessed but rather as a mode or constituent element of being-in-the-world... the essence of understanding lies not in simply grasping one's situation but in the disclosure of concrete potentialities for being within the horizon of one's placement in the world.'
② Heidegger, Being and Time, pp. 191~192。
③ 见 Gadamer, Truth and Method, p. 267。亦参见 pp. 291~300。

能（normal selectivity of input），按照观者先存的世界观去过滤进入意识的素材，结果就对观者突显出某些特别的意义和理解。①故观者内心所充满的，就形成了他观物的独特触角，亦在所观之事物中把捉了那些对他特别独特的意义。就如一个人若内心充满欲念淫思，就可以在周遭事物世界中到处都看到性的象征。若一个观者内心充满道德生命的敏锐，则在天地万物中到处都可以发现道德生命的启迪。这正是伊川于《遗书》卷十五所言：

> 有人旁边作事，己不见，而只闻人说善言者，为敬其心也，故视而不见，听而不闻，主于一也。主于内则外不入，敬便心虚故也。……敬其心，乃至不接视听，此学者之事也。始学，岂可不自此去？至圣人，则自是"从心所欲不踰矩"。

在此，所见所闻皆有一过滤性，在乎主体之心的所向，具敬之心灵，则见善闻善。伊川论及高宗梦见傅说，谓："高宗只是**思得贤人**，如有贤人，**自然应他感**……譬如悬镜于此，有物必照，非镜往照物，亦非物来入镜也。大抵**人心虚明，善则必先知，不善必先知之。有所感必有所应**，自然之理也。"（《遗书》卷十八）人心所思与其所见，是相互联系的。故人心虚明，观善亦特别敏锐。《遗书》卷十八另有一段记伊川论张旭学草书，则表达他深信观物的工夫是在乎内心所思：

> 问："张旭学草书，见担夫与公主争道，及公孙大娘舞剑，而后悟笔法，莫是**心常思念至此而感发否**？"曰："然。**须是思方有感悟处**，若不思，怎生得如此？然可惜张旭留心于书。若移此心于道，何所不至？"

这段话表示伊川相信，悟道与悟书法皆在于"心常思念"的工夫，内心所充满的思念，成为对外界事物的敏锐意向。故只是观天地万

---

① 参见 R. E. Ornstein, The Psychology of Consciousness, pp. 150～151。

物之生机变化,就可以感悟内心道德生命的转化。这就是观物察己而能够不断提升自我道德生命的工夫。故《遗书》十五谓:"若**致中和**(按:成就内心的工夫),则是达天理,便见得天尊地卑、万物化育之道。只是致知也。"

(3) 再论"闻见之知"与"德性之知"

总结以上所论,我们可见伊川之"格物穷理致知"工夫,并非是单纯的一套方法论,而是具有就"读圣贤典籍"、"体察历史人物经历"、"日常生活中与人沟通"、"日常生活中应物的操练"和"观天地万物气象"等不同对象事物所展开的不同方式的道德生命提升之道和工夫。

有了这些不同层次的探索和理解,我们就可以重回本章起始时所提出如何由"闻见之知"转化出"德性之知"的疑难。① 余英时先生谓:

"闻见之知"(或"见闻之知")的观念是相对于"德性之知"而成立的。把知分为"德性"与"闻见"两类是宋代儒家的新贡献。大略地说,这一划分始于张载,定于程颐,盛于王阳明,而泯于明清之际。②

可见"闻见之知"与"德性之知"之间关系的探讨,是有其复杂性,亦连结起许多知识论和道德哲学的历史过程。此问题至今仍有不少

---

① 参见本章第 61~62 页。

② 余英时:《中国哲学辞典大全》(台北:水牛,1983)[韦政通主编],第711 页,见"闻见之知与德性之知"条。

学者提出其见解。① 笔者在此并非旨在详论各家之见解,乃是就本章所论的线索,作一进解。

上文曾谓,问题之结晶,是在于此两种"知"之间的延续和界分的矛盾。盖就伊川所言,"闻见之知"与"德性之知"两者并不相同,这是不争的事实——"闻见之知,非德性之知……德性之知,**不假见闻**。"(《遗书》卷二十五)然而,就伊川格物致知的工夫来说,所"致"之"知",显然是具有德性的意义。如此,问题就落在如何联系这两种"知"的探索上。盖伊川所谓的"致知",其起始点肯定具有"闻见"的成分在内,但结果却是"德性"的。

杜维明先生认为要展示这两者之间的"辩证关系"应该通过两个步骤:

> 1. 把德性之知和一般闻见之知区分开来以突出德性之知的特殊意义;
> 2. 把一般闻见之知和德性之知统合起来,让闻见之知在德性之知首出的前提下获得适当的位置。②

如上所述,第一个步骤在当代学者的论点中并无大分歧和困难。引用杜先生的说法:"闻见之知是通过感官而获得的有关外界自然、人物、事件的资料、消息或知识;德性之知则是从事道德实践必

---

① 除上引余英时外,对此问题有较深入探讨和提出见解的近代学者包括唐君毅:《中国哲学原论》(导论篇)(香港:新亚研究所,1974),第330~347页;牟宗三:《心体与性体》(二),第391~398页;《心体与性体》(第一册)(台北:正中书局,1968)第543~546页;并《从陆象山到刘蕺山》(台北:学生书局,1979),第245~265页;冯耀明:《"致知"概念之分析》;戴琏璋:"德性之知与见闻之知",《牟宗三先生的哲学与著作》,第681~708页;杜维明:"论儒家的'体知'——德性之知的涵义",《儒家伦理研讨会论文集》(刘述先编)(新加坡:东亚哲学研究所,1987),第98~111页;严健明:"见闻之知和德性之知",《中国哲学史研究》第24期(1986):第92~95页。

② 杜维明:"论儒家的'体知'",第102页。

备的自我意识。闻见之知是经验知识而德性之知是一种体验,一种体知,不能离开经验也不等同于经验知识。"①然而,所谓"不能离开"在具体意义上是怎样的一回事?这就涉及第二个步骤的问题,也是学者争议最多的问题。笔者仅就上文对伊川的哲学的诠释作一进解。

在伊川的不同格物层次和进路中,我们可以看见,一切致知工夫的**起始点**皆属"闻见之知"——读圣贤典籍、历史人物的体察、日常生活中与人的沟通、日常生活中应接事物和观天地万物气象。然而,这些各不相同的格物穷理致知的**终点**,却皆归结为"德性之知"——道德生命的提升。上文我们借助诠释学的理解,看见每一项(属"闻见之知")不同的进路,却皆提供了道德生命转化的**契机**。主体可借此契机付上**工夫实践操练的历程**,而成就道德生命的提升。故一方面来说,"闻见之知"的起始点**皆可以**引至"德性之知"的体会。但另一方面说,具同样的"闻见之知"**并不必然**地引至"德性之知"的体会。其间的关键在一工夫实践操练的过程。没有工夫实践,契机仍旧是契机,却不成就德性生命。"闻见之知"仍归"闻见之知"。但若就此契机去实践和操练,则"闻见之知"便会成就道德生命的提升,转化出"德性之知"的体会。故伊川在《遗书》卷十五谓:"闻之知之",惟"得之"才"有之"。所谓"得",就是"得之于**心**,谓之有德"。故可见"工夫论"实在是联系起"闻见之知"与"德性之知"的关键所在。从这理解来看,伊川言"闻见之知,非德性之知"是正确的。盖"德性之知"绝**不就**等于"闻见之知"。然而,正如上文所论,透过工夫实践,两种的"知"亦可会通。盖如伊川自己指出,"所闻者所见者**外**也",而"德性之学"是"使人求于**内**也"(《遗书》卷二十五)。此一内一外之"知",诚然并不相等,但透过实践工夫,却可相通。

---

① 杜维明:"论儒家的'体知'",第 101 页。

本章透过哲学诠释学的进路,对伊川论"格物穷理致知"的工夫作厘清及深入探讨,解开如何透过格物穷理而成就道德生命的提升在义理上的疑难,而归结于对历代论"闻见之知"与"德性之知"之间的纷扰作一进解。

# 第四章 视域与观照：
# 二程工夫论之会通

本书第二、三章分述明道及伊川在道德工夫论方面的要旨。其中可见二程在修养工夫的进路和重点上，都有不同之处。综合地说，明道的工夫论是从**境界**入，重点是**简约**原则和极度简单化的生命情调。而伊川的工夫论是从**致知**和**涵养**入，重点是**积集**原则和"千蹊万径皆可适国"的生命情调。程兆熊比较地描述两者时说：

> 程明道是把道融化于一己的生命之中，而程伊川则是把自己的生命客观化于道之内。……把道融化于一己的生命之中，让肉身成道，和把一己生命客观化于道之内，让道成肉身，其间大可供人思量之处，实是千载难言，万古难说。①

顺着程兆熊的见解来说，明道着重自我的超越(self-transcendence)，将一己之生命层层提升，跨越生命的有限性和分别相的限制，到达圆顿的观照境界。而伊川则着重自我的完成(self-realization)，透过对生活各方面的诠释经验，涵养存诚地将一己的道德生命实现和实践出来。这两种道德生命的操练，虽然方向不尽相同，原无必要对立和互相排斥，而且更可以融会贯通地铺陈出更全

---

① 程兆熊：《大地人物——理学人物之生活的体认》，收入《完人的生活与风姿》(台北：大森，1978)，第 60～61 页。

面的成圣之道。

## 一、对二程同异的不同立场

直至现今的二程学研究中,论者于兄弟两人之相同或差异上,皆似乎过分落入某一方片面的立场之中。

第一种立场是,有论者过分笼统地只将二程放入同一套的哲学体系之中。在讨论的过程中,甚至不分别出明道和伊川来处理。① 当然其中的原因可能是由于《二程全书》中头十卷《遗书》及《程氏粹言》未有清楚标明出自谁语。但此暧昧性并不足以构成学术上不将二程思想界分的根据。

第二种立场是,不少论者都察觉二程在思想上的不同,但他们只是将程明道与程伊川分作两个似乎毫不相干的哲学家来处理。② 其实二程之哲学虽有不同,但正如韦政通先生言:"他们相

---

① 这种倾向以祖国大陆近年出版的著作为甚。例如张立文:《宋明理学研究》(北京:中国人民大学出版社,1985),第 259~374 页;侯外庐等编:《宋明理学史》(上卷)(北京:人民出版社,1984),第 127~180 页;刘象彬:《二程理学基本范畴研究》(开封:河南大学出版社,1987);贾顺先:《宋明理学新探》(成都:四川人民出版社,1987),第 65~96 页;徐远和:《洛学源流》(济南:齐鲁书社,1987),第 46~190 页;潘富恩、徐余庆:《程颢程颐理学思想研究》(上海:复旦大学出版社,1988)。大陆以外的作者,则有李日章:《程颢·程颐》(台北:东大图书公司,1986)。

② 例如罗光:《中国哲学思想史》(三)(台北:先知,1976),第 275~404 页;日本学者则包括有狩野直喜:《中国哲学史》(东京:岩波,1953),第 374~388 页;《楠木正继先生中国哲学研究》中之"二程子论"及"续二程子论"(东京:国士馆大学附属图书馆,1975),第 237~306 页;山本命:《宋时代儒家的伦理学的研究》(东京:理想社,1973),第 177~260,385~504 页;森三树三郎:《中国思想史(下)》(东京:第三文明社,1978),第 336~345 页。

同的思想实在太多了,当时的弟子也无从分辨,所以《遗书》里前十卷大半都只笼统地标着'二先生语'。"①

第三种立场是,另有一些论者,在分别讨论二程思想之后,更附以比较,指出两者之差异处。这是比较深入一步的哲学工夫。②然而,平行对比而指出其异同,只是初步的比较哲学工夫,并未能在明道及伊川的哲思之间进行会通和对话。

第四种立场是,自20世纪60年代末牟宗三于其《心体与性体》(三册)将宋明儒学分为三系,③以北宋前三家(周濂溪、张横渠、程明道)为一组不分系,是由《中庸》《易传》之"道德的形上学"归于《论语》《孟子》的心性之学。然后,义理至程伊川,就有一明显的转向与歧出,"主观地说是静涵静摄之系统,客观地说是本体论的存有之系统,总之是横摄系统。"④至南宋儒学,就分成三系:其一是胡五峰承继北宋前三家至程明道,以心形著性,下开明代刘蕺山的诚意慎独之学。其二是陆象山直接承继孟子,以逆觉体证的工夫言"心即理",下开明代王阳明致良知之心学。以上二系皆直下以逆觉体证工夫,从一心之朗现入手。可统称之为"纵贯系统"。其三则是朱子承继程伊川之"横摄系统",落入后天支离的致知涵

---

① 韦政通:《中国思想史》(下册)(台北:大林,1980),第1120页。
② 例如冯友兰:《中国哲学史》(上海:商务印书馆,1935),第868~894页;张永儁:《二程学管见》(台北:东大图书公司,1988);管道中:《二程研究》(上海:中华书局,1937);A. C. Graham, Two Chinese Philosophers: Ch'êng Ming-tao and Ch'êng Yi-ch'uan (London: Lund Humphries, 1958);韦政通:《中国思想史》(下),第1113~1150页;孙振青:《宋明道学》(台北:千华,1986),第258~259页;A. Forke, Geschichte der neueren chinesischen Philosophie(Hamburgh:de Gruyter&Co., 1938),p. 72。
③ 见牟宗三:《心体与性体》(一)(台北:正中书局,1968),第42~60页。
④ 同③,第45页。

养工夫,结果是他律道德的渐教。牟宗三的分系,显然将程明道与程伊川的哲思对立起来。前者属于"纵贯系统",而后者属于"横摄系统"。进而,既然牟著判了朱子是"继别为宗",而其"歧出"与"支离"乃溯源自程伊川之"转向",当然对伊川有贬抑之意。而于程明道,则极推崇其在道德生命之客观面及主观面方面"皆饱满"而"无遗憾"。因此牟宗三认为程明道乃"真相应先秦儒家之呼应而**直下通而为一之者**",故"明道之'一本'义乃是**圆教之模型**"。① 牟宗三如此地将程明道与程伊川安放入两个不同的系统和极力推崇明道而贬抑伊川的哲学观点,是有其独特的创见,亦于二程学中打开一新局面。此论一出,不少学者就沿这路线、紧守这观点去评论二程兄弟,视之为一种定论。② 本书于以上两章论述之中,已就不同的问题对此立场提出了探究,在此不再复述。总括来说,笔者认为程氏兄弟二人于道德生命之义理和体验上,皆有其重要的贡献,不必过分褒贬一方。将明道及伊川分判入两个道德哲学的系统中,容易将两者对立和极化起来,阻截了他们之间在道德义理和体验上的对话和会通。

笔者所采取的立场,是把程明道及程伊川在道德工夫方面的见解作深入的探究之后,尝试将他们不同的独特体会放在一起,建构出更全面和完整的成圣之道。当然,尝试将二程思想视作相辅

---

① 牟宗三:《心体与性体》(一)(台北:正中书局,1968),44页。
② 例如蔡仁厚:《宋明理学》(北宋篇)(台北:学生书局,1977),第219~447页;张德麟:《程明道思想研究》(台北:学生书局,1986)。

相成的见解,并非笔者首倡。① 然而,过往论者皆融会得较为笼统,亦未直接专就道德工夫论之义理问题去会通。故笔者以此为题,在本章余下篇幅中略作探索,作为全书之总结。

## 二、二程所铺陈的成圣之道

### (一) 从二程生平经历看二人之学术关系

从二程的生平经历来看他们之间的学术关系,兄弟二人自有其不同之学思发展时期。盖伊川比明道小一岁,明道之仕途较顺,②而伊川则对仕途无大兴趣。③ 惟二人学术思考最精进的阶

---

① 例如程兆熊:《大地人物》,第45~68页及董金裕:《宋儒风范》(台北:东大图书公司,1979),第37~46页,皆着重从二程子之性格和气质方面显示二人之相反相成,未有紧扣着他们思想中的哲学问题去探讨。唐君毅:《中国哲学原论》(原教篇)(香港:新亚研究所,1975),第197~210页则指出伊川及明道在喜怒哀乐之未发及已发上有无工夫的问题,这是他们之间工夫论的核心问题。唐君毅可以说是一语中的,他的讨论亦极为重要及有贡献。然而他的重点未有放在明道及伊川两人在这问题上的相互补足方面,而只是指出其如何引入朱子参究中和的契机。杨祖汉:"程伊川的才性论",《鹅湖》第129期(1986):第30~38页,指出明道及伊川在气裹才性方面共通的见解,然后进而引入气质可否有转化的问题。最后归结于康德论意志抉择的讨论。杨先生在此问题上处理得很仔细,但没有牵涉二程全面的工夫论问题。

② 程明道自二十五岁(1058年)开始出任地方官,至三十八岁(1069年)出任中央官职(太子中允,权监察御史里行),可惜仅九个月因反对王安石变法而被罢。一年后再出任地方官,至五十四岁(1085年)去世为止。

③ 程伊川直至其兄去世之前,并无正式出任官职。明道去世一年,五十四岁(1086年),以布衣身份受皇诏,出任中央官(崇政殿说书),但亦只一年零八个月,因与苏轼不合而遭弹劾被贬。此后伊川更无意仕途,一再推辞不肯出任官职,专心讲学授徒。六十七岁(1099年)完成《周易程氏传》,以后再无成书。七十五岁(1107年)病殁于家。

段,皆于被贬罢官之时。明道三十九岁(1070年)时由任职中央的"权监察御史里行"补贬为"签书镇宁军节度判官",四十二岁(1073年)归洛阳专心讲学授徒。① 其后虽然再出任地方官,但主要的活动,仍是与弟伊川在洛阳向士大夫传授学问,而成"洛学"。《遗书》附录"门人朋友叙述"载:

> 先生[明道]以亲老,求为闲官,居洛阳殆十余年,与弟伊川先生讲学于家,化行乡党。(按范祖禹所记)

> 明道居洛几十年,玩心于道德性命之际……洛实别都,乃士人之区薮……学士皆宗师之,讲道劝义;行李之往来过洛者,苟知名有识,必造其门,虚而往,实而归,莫不心醉敛衽而诚服。于是先生身益退,位益卑,而名益高于天下。(按朱光庭所记)

由明道归居洛阳至去世之间,超过十年的时间,二程兄弟共倡"洛学"。在此期间,兄弟二人在学理见解上,并无证据表示他们之间有显著的差异。盖此期间明道作为兄长,于讲学授徒始终居于领导地位。② 加之伊川对其兄之学又推崇备至,③故《遗书》前十卷为弟子记"二先生语",大部分内容未有分别出是谁人的见解、语

---

① 《遗书》附录"门人朋友叙述"中载刘立之记:"太中公[二程之父程珦]得请领崇福,先生求折资监当以便养。**归洛,从容亲庭,日以读书劝学为事**。先生经术通明,义理精微,乐告不倦。**士大夫从之讲学者,日夕盈门**,虚往实归,人得所欲。"

② 按姚名达:《程伊川年谱》(上海:商务印书馆,1936),第71~148页的考据,此其间有记载之伊川语录甚少。门人如谢上蔡、吕大临、杨龟山、刘质夫等,皆记明道语为主。

③ 参见伊川为其兄所写之"明道先生行状",其中云明道之学"明于庶物,察于人伦。知尽性至命,必本于孝悌;穷神知化,由通于礼乐。辨异端似是之非,开百代未明之惑,秦、汉而下,未有臻斯理也。"(《河南程氏文集》卷十一"伊川先生文七")

## 第四章　视域与观照：二程工夫论之会通

录,可见弟子们亦没有看出他们之间在思想上有分歧。①

明道去世后一年(1086年),伊川出任"崇政殿说书"一年零八个月。既身为训导年幼皇帝宋哲宗之高职,伊川始充分发挥其个人之见解。朱熹"伊川先生年谱"中谓伊川贵为皇帝侍讲时的情况：

> 一时人士归其门者甚盛,而先生亦以天下自任,论义褒贬,无所顾避。(《遗书》附录)

自此以后的二十年,伊川确定并开展出其本人的哲学见解。② 而《遗书》卷十五至二十五所载之语录,亦突显出自明道去世后伊川在哲学上之发展。③ 其中包括揭示"涵养须用敬,进学则在致知"(《遗书》卷十八)之教,及后期他对"已发、未发"之工夫问题的体

---

① 牟宗三：《心体与性体》(二)(台北：正中书局,1975),第5页："凡属二先生语者吾人可视为二程初期讲学之所发。此期以明道为主。伊川岁数虽与明道相差不远(只差一岁),然明道究属兄长,固当以明道为主。" Y. C. Ts'ai, 'The Philosophy of Ch'eng I: A Selection of Texts from the Complete Works Edited and Translated with Introduction and Notes' (Ph. D. dissertation, Columbia University, 1950), p. 10 亦持同样见解。

② Ts'ai, 'Philosophy of Ch'eng I,' p. 12 谓程明道死后,伊川 'crystallized into something definitely his own.'

③ 李日章：《程颢·程颐》(台北：东大,1986),第55页认为"伊川先生语"首卷(《遗书》卷十五)为"入关语录","是伊川于元丰与元祐年间入关与关中学者论学之记录。"其余各卷"所记都为元祐元年(1086)以后之事。"牟宗三：《心体与性体》(二),第5页言："伊川独立发皇之时当在其为侍讲以后。凡确定为伊川语者,《遗书》第十五以下,始真代表伊川之生命与思路。"

会。①

## （二）程伊川的转向

（1）伊川贯通"未发"与"已发"之工夫见解

伊川对喜怒哀乐之"未发"与"已发"的工夫问题，可以显出他在工夫论上打开与明道不同的体验方向。

论者对伊川于《与吕大临论中书》(《文集》卷九)与《遗书》卷十八载答苏季明问"中和"的问题和见解，颇有微言。② 诚如牟宗三指出，伊川在此几段文字中有用语上的自相矛盾及回避问题的表现，③但伊川的重点是"以实然的观点看心"则非常明显。④ 在《与吕大临论中书》中伊川迫出一句"凡言心者皆指**已发**而言"，虽后来亦承认"未当"，但已充分显示伊川所关注的，是喜怒哀乐**已发的心的活动状态**。此种关注的重点，正显示出伊川已从其兄明道一直着意于境界性描述的哲学性格中有所脱出和转向，转向问"如何可能"的实践工夫问题。

关于心在已发状态的活动中如何成就道德生命提升的工夫，上一章论伊川的"格物致知"已有详细剖析，不再复述。在此，我们所面对的问题，是伊川认为"喜怒哀乐未发"之际是否有工夫可循？又，此未发的工夫与已发的工夫是否有关联？

---

① 按姚名达：《程伊川年谱》，第166～171页考据，伊川"与吕大临论中书"(《河南程氏文集》卷九"伊川先生文五")应写于伊川五十四岁(1086年)。伊川答苏季明问喜怒哀乐"未发、已发"之工夫问题，亦记于《遗书》卷十八，为刘元承所记，注明大概属于元祐五年(1090年，伊川五十八岁)至绍圣四年(1097年，伊川六十五岁)之间，当属伊川后期发展出来的思想无疑。

② 例如牟宗三：《心体与性体》(二)，第350～382页；唐君毅：《中国哲学原论》(原教篇)，第197～201页；王煜：《儒家的中和观》，(香港：龙门，1967)，第51～61页。

③ 见牟宗三：《心体与性体》(二)，第352,357,360,379～380页。

④ 同③，第357,361～362页。

## 第四章 视域与观照：二程工夫论之会通

首先，从回答苏季明的说话来看，伊川肯定喜怒哀乐**未发**之前是**有**工夫可言的。当苏季明问："吕学士言：'当**求**于喜怒哀乐未发之前。'……**如之何而可**？"伊川答曰"看此语如何地下。若言**存养**于喜怒哀乐未发之时，则**可**；若言**求中**于喜怒哀乐未发之前，则**不可**。"我们暂时撇开伊川对"求中于"一词具有局限性的理解（而因此谓不能用）不论，他显然认为"未发之前"是可以有工夫的，他称之为"存养"。随之的对话就更清楚直接了：

> 又问："学者于喜怒哀乐发时固当勉强裁抑，于**未发之前当如何用功**？"曰："于喜怒哀乐未发之前，更怎生求？只**平日涵养**便是。涵养久，则喜怒哀乐**自中节**。"

伊川不准用"**求中**"，是因为他认为喜怒哀乐之未发状态是"寂然不动"，①而"求"的本身亦是一种"动"，就不可能在"未发"的"寂然不动"的状态中发生。《遗书》卷十八伊川答苏季明问

> 曰："喜怒哀乐未发之前**求中**，可否？"曰："不可。既**思**于喜怒哀乐未发之前**求**之，又却是**思**也。既思即是**已发**。"

然而，伊川另一方面却又肯定"未发"状态是**有**工夫可用功的。问题是，若工夫**过程本身**不是发生于未发之前的状态，则此工夫就必是发生于"已发"的状态阶段无疑——此即伊川所言的"平日涵养"（按：属已发状态之活动）。

从上述的推论，我们可以看见，虽然从**本体论**的角度来说，伊川接受"未发"和"已发"是两截异质的阶段；但从**实践工夫**的角度来说，**已发**状态中的"涵养"工夫，却是应该可以对**未发**状态发生转化的效用。而我们必须注意，伊川一直都是紧扣着这实践工夫的

---

① 《遗书》卷二十五："'喜怒哀乐之未发谓之中。'**中**也者，言**寂然不动**者也。故曰'天下之大本'。'发而皆中节谓之和。'**和**也者，言**感而遂通**者也，故曰'天下之达道'。"伊川在此提出以"寂然不动"解"中"，以"感而遂通"解"和"。

角度回答苏季明的询问,故他并不着意于"中"是否有个"体"的本体论问题。① 然而,如何才知道那未发的状态是怎样的气象呢?伊川仍旧从实践的角度去解答,指出关键在于察验**既发之际**(即喜怒哀乐刚出现的一瞬间)是否能够"中节",而能否"中节"就呈现出那未发状态是否是"中"。故伊川所看见的核心问题,是落在**由未发转入已发之间的关口**②。若能"发而皆中节",就明证了未发状态已是"中";若不能发而中节,则表示未发状态未能"中"。故伊川虽然不赞同苏季明所谓有"既发之中"这回事,但他却表示"中"是可以由未发阶段直延展至已发阶段而表现为"中节"的:

> 发而中节,固是得中。只为将中和来分说,便是和也。

以上厘清伊川的"未发""已发"说,看见他是就透过已发的表现,去察识未发的气象。然而,已发状态中的涵养工夫,又如何可以转化未发的气象?若然我们循伊川的见解,紧扣住"发而中节"的表现去察识那未发之"中",则平日涵养之工夫,实在是可以塑造出"发而皆中节"的生命质素。其实这正是工夫论中的"修"与"悟"的相互关联问题:能够"发而皆中节",是在乎一份直觉的智慧。在实践道德生命的意义上说,"发而皆中节"是指主体在应接事物的时候,能自然地作出合乎天理的**抉择**。

在上一章论"居敬集义"的一节中,我们已指出,"圣人**便自有中和之气**"(《遗书》卷十八)是由于他有一种转化了的意志逆取力

---

① 故当苏季明问"中莫**无形体**,只是个言道之题目否?"伊川并无意于本体论上发表见解,只是较模糊地回应:"非也。中有甚形体? 然既谓之中,也须有个形象。"即是说,虽无体,但有一种气象可见。随后伊川又返回"观物"的工夫问题上。见《遗书》卷十八。

② 故苏季明与伊川的对话随着就转到"未发"与"已发"之间的问题上。苏季明问:"然而观于四者[喜怒哀乐]未发之时,**静时**[按:未发]自有一般气象,及至**接事**[按:已发]时又自别,何也?"伊川的回答是:"善观者不如此,却于喜怒哀乐已发**之际**观之。"

量,去不受外物所役、所扰,而成就循天理的道德抉择。① 要达至这道德意志的自决,就须要经过"敬"的"直内"和"主一"的操练工夫。② 另一方面,纵有内在道德意志的精纯,并不保证就能作出**适当**的行动抉择,故亦须经过不同的"致知"进路(由"读圣贤典籍"至"观天地万物气象"等)去扩充、提升一己的道德生命。此即伊川所谓之"集义"。《遗书》卷十八云:

> 敬只是涵养一事。必有事焉,须当**集义**。只知用敬,不知集义,却是都无事也。……问:"敬义何别?"曰:"敬上是**持己**之道,义便**知**有是有非。顺**理**而行,是为**义**也。若只守一个敬,不**知**集义,却是都无事也。且如欲为孝,不成只守着一个孝字?须是**知所以为孝**之道,所以侍奉**当如何**,温清**当如何**,然后能尽孝道也。"又问:"义只在事上,如何?"曰:"**内外一理**,岂特事上求合义也?"

由"敬"的"直内"和"主一",结合起"致知"的"集义"工夫,而成就出"发而皆中节"的道德抉择的智慧。这就是伊川道德工夫论的全面图画。

但值得注意的是,要成就这道德抉择的智慧,背后是连绵的**涵养和操练**工夫。这正是伊川一直所强调的。在他的体会中,"未发"与"已发"之间有一互动的关系:"未发之中"的气象,只有透过"发而皆中节"的具体事象才表现出来;另一方面,要成就"发而皆中节"的道德智慧,是在于"平日涵养"中的"敬"与"致知"工夫。应接事物之所出,正是内心生命气象之发见处;然要存此内心之"中",则并非在于"静观未发之气"(苏季明所提出的经验),而是在于已发之"动"的状态下的平日涵养工夫。这两方面的互动,就正结束了这论"中和"的篇章:

---

① 见本书第 136 页注②,第 134 页及以下。
② 见①,第 134~140 页。

盖人万物皆备,遇事时各因其心之所重者,更互而出,才见得重,便有这事出。若能物各付物,便自不出来也。〔按:此段言"所出"是其心"所重"的发见〕或曰:"先生于喜怒哀乐未发之前下动字、下静字?"曰:"谓之静则可,然静中须有物始得,这里便是难处。学者莫若且先理会得敬,能敬则自知此矣。"或曰:"敬何以用功?"曰:"莫若主一。"〔按:此段言敬的涵养工夫可以扣住未发的气象〕

其实,按照伊川上文论"动而见天地之心"的说法,伊川此答苏季明是不太妥当的。苏季明问未发之前究竟应下已发的"动"字?抑下"静"字?此是一总结性的好问题。就伊川的见解,应该是"就本体学的层次来说,未发之前是"寂然不动"的"静";就工夫论的实践来说,是透过已发的"动"的涵养工夫去转化未发的气象。可惜伊川却答出一句"谓之静则可"来!弄得自己也糊涂了,然后说出一句意义暧昧和不切思路的"然静中须有物始得"。最后惟有说"这里便是难处"。

综观全篇"中和"的对话,伊川从工夫论的立场出发,将好些似乎对立的范畴互动地相联起来——"未发"与"已发"、"静"与动、"悟"与"修"。

(2) 视域与观照:伊川的"修"与"悟"

借用现象学的描述来说,伊川在此其实是触及"视域"(horizon)与"观照"(perspective)之间的相互紧扣关系。

"视域"是人内在生命世界所隐含、先于认知(preknowledge)的背景和界限。因此"视域"是主体的内在结构。① 当主体与外在世界接触而生起认知活动的时候,这种内在结构的"视域"即从主体对世界所持的"观照"角度(perspective)反映出来。"'观照'角

---

① 见 H. G. Gadamer, Truth and Method (New York: Seabury Press, 1975), p. 269。

度存在的事实,是证明了人存在的象限(the plan of human existence)是被'视域'所紧扣住的。"① 故一个人用其所持的某一特定的观照角度去理解对象世界,是他内在结构"视域"的呈现。不同象限的"视域"就具体呈现为不同的"观照"角度。"视域"与"观照"之间是紧扣起来的,但"视域"与"观照"具有不同的本质。"视域"是潜存、先于认知活动的,而"观照"则是属于认知活动的。用中国哲学的词汇去表达,前者属"未发",而后者则属"已发"。再者,"视域"是以累积的"渐"的方式递增的,而"观照"则是以"顿"的方式跃升的。范培生(Cornelius van Peursen)谓犹如人攀登不同高处向外俯览地面,沿上攀登是渐次递升,但从不同高度点向外观看,则看见地面呈现不同的图象。② 故"视域"的"渐"增可以呈现为"观照"的"顿"改。

从"视域"与"观照"相互紧扣的架构去看,我们就较能够明白伊川为什么每提及"觉悟"时,总是紧扣住"累积"工夫来说。《遗书》卷十七载伊川云:

> 须是集众理,然后脱然**自有悟处**。

又云:

> 但理会得**多**,相次自然**豁然有觉处**。

这种见解更清楚表达于《遗书》卷十八:

> 问:"学何以有至觉悟处?"曰:"莫先致知。能致知,则思一日愈明一日,**久而后有觉也**。学而无觉,则何益矣?又奚学

---

① C. A. van Peursen, 'The Horizon' in Husserl: Expositions and Appraisals, ed. F. Elliston and P. McCormick (Notre Dame: University of Notre Dame Press, 1977), p. 188.

② 同①。宗密亦曾用相似之例去解说"渐悟渐修",就如《圆觉经大疏》云:"如登九层之台,足履渐高,所鉴渐远。"参见冉云华:《宗密》(台北:东大图书公司,1988),第182~183页之讨论。

为？'思曰睿,睿作圣。'才思便睿,以至作圣,亦是一个思。故曰:"**勉强学问,则闻见博而智益明。**"
"睿"是通达义,是智慧。而伊川曰:"'思曰睿',**思虑久后,睿自然生。**"同一卷书中,上文曾引述张旭学草书一例,问"悟笔法,莫是**心常思念至此而感发否?**"伊川答:"然。**须是思方有感悟处**,若不思,怎生得如此?""思"是"渐",而"睿"则"顿"。可见"修"与"悟"在伊川的工夫论中是紧扣相连的。故曰:"积习既多,然后脱然自有贯通处。"(《遗书》卷十八)

(三) 修－悟－把持

本书将道德生命提升的历程,尝试放入"修－悟－把持"的三元格局中去了解。在以上第二及第三章已分述程明道及程伊川在这方面的见解和体会。总括而言,若我们以"体悟"为道德生命的跃升,则"悟"前需要有"涵养累积"的工夫,"悟"后亦有"念念不息"的"把持"工夫。三者是相互紧扣连结的。而由于这三元的工夫格局在人的道德实践历程中,绝非一生只可以发生一次,而是延绵不断的延展着,而天理亦随之在道德生命中逐步朗现。既然人在生命中体验"悟"是多次的,因而"把持"亦可以成为另一次"悟"的渐"修"。因此,"修－悟－把持"在道德义理格局上虽然是先后三分,但在具体道德生命不断提升的历程中,却是相互交错、相依相衍的。这即是二程工夫论的相通之处。

然而,令二程在道德工夫论相异的核心问题何在?关键是落在二人对"体悟"的**进路**及**方向**有不同的理解和体会。明道与伊川虽然都言及"觉悟",但二人所谓的"悟"是不相同的。明道的"悟",是一种圆顿的观照境界,在这境界之中,主客相对的分别相被化掉,从更高的层次去理解对象世界和人生。故此,明道对此种"悟"的境界的工夫进路是"闲邪"和"减"(简约),将生命简单化到了极度。这是明道的"悟"及其工夫。伊川的"悟",则有极不同之意向。伊川之所谓"悟",是在于内心涵养出一种对道德生命的敏锐力,就可以在生命各种对外格物致知的经验（读圣贤典籍、体察历史人物，日常生活与人沟通及应物，观天地万物气象）中，处处皆可感应出内在道德生命提升的"德性之知"。因此伊川的"悟"并不是指向圆顿的观照境界，而是在事事物物的接触和体验中悟出（感应）内在道德生命的提升。故其工夫进路当然不在"减"，反而是不断的"积集"存诚而成就的。可见明道、伊川二人虽同言及"悟"及"工夫"，但其意向及体会则极不相同。

当然，程明道与程伊川二人在工夫进路与方向上的不同，亦是与二人不同的气质和体会相应的。盖明道一生洒脱，秋日亦能偶成诗云："闲来无事不从容，睡觉东窗日已红。万物静观皆自得，四时佳兴与人同。"① 而伊川，却谓"吾平生不啜茶，亦不识画"，更不写诗。② 兄弟二人气质之异，亦自可见。既然二程之道德工夫论各具特色，亦自有其不同之门人后学去承传，去肯定其不同之独特贡献。然而，我们亦无须以派性之见，去过分贬抑一方。盖就"修－悟－把持"的道德提升三元格局来看，伊川对"渐修"之学，处理得较仔细，但明道却对"悟"的境界描绘得传神。我们虽然不宜将两种不同气质的道德工夫牵强地结合成一个系统，但两者精彩之处亦可以相互参考，让我们现代人在其中找到宜己之教。

---

① 见《河南程氏文集》卷三《明道先生文三》。
② 见《伊川学案》（下）"附录"。

# 参考资料选辑

## 一、二程生平著作古籍原典

宋·朱熹编.程颢,程颐原撰.和刻本汉籍二程全书附索引(上、下).京都:中文出版社,1979

宋·程颢.程颐.二程集(四卷).北京:中华书局,1981

Chan, Wing-tsit. A Source Book in Chines Philosphy. Princeton: Princeton University Press, 1963, ch. 31 'The Idealistic Tendency in Ch'eng Hao' and ch. 32 'The Rationalistic Tendency in Ch'eng I'. pp. 518~571

明·黄宗羲撰,清·全祖望补.宋元学案.杨家骆主编.历史学案第一期书.台北:世界书局,1983

清·王梓材,冯云濠编.宋元学案补遗.台北:世界书局,1962

宋·朱熹撰,明·吕㭽抄释.二程子抄释十卷,宋四子抄释.杨家骆主编.增订中国学术名著第一辑.台北:世界书局,1980

宋·朱熹编,清·张伯行集解.近思录集解.台北:世界书局,1981

宋史.第427卷"列传第186"道学(一)

宋·朱熹编,李幼武编.宋名臣言行录五集,"皇朝道学名臣言行外录卷第二、三"。载于《宋史资料萃编第一辑》[赵铁寒主编].台北:文海,1968

## 二、近百年来直接论二程的主要著作

（以下作品的编排，是按作者写作的先后次序而列出。由于编印出版日期并不一定相等于该作品的写成日期，故笔者透过考据有关文献、自序或代序等而鉴定其写作日期，然后将该作安放在适当的次序位置。由于大部分鉴定作品年份的根据都颇明显，笔者亦无须细列其中枝节。）

贾丰臻."大程子";"二程子",宋学.上海:商务印书馆,1929

冯友兰.中国哲学史.上海:商务印书馆,1935

管道中.二程研究.上海:中华书局,1937

何炳松.浙东学派溯源.上海:商务印书馆,1932
　　　　程朱辨异.香港:崇文书店,1971 抽印版

陈钟凡."程颢之一元学说";"程颐之理气二元论";"程氏学派",两宋思想述评.台北:华世出版社,1977

姚名达.程伊川年谱.上海:商务印书馆,1936

夏君虞.宋学概要.台北:华世,1976

程兆熊."程明道的'坐如泥塑人'";"程伊川的'不啜茶,亦不识画'",大地人物——理学人物之生活的体认,第 45～68 页.完人的生活与风姿.台北:大林,1978

蒋伯潜."二程"（上、下）,理学纂要.台北:正中书局,1978

Ts'ai, Yung-ch'un: 'The Philosophy of Ch'eng I: A Selection of Texts from the complete Works Edited and Translated with Introduction and Notes.' Ph. D. dissertation, Columbia University, 1950.

西顺藏."程明道の天理",中国思想论集.东京:筑摩书局,1969

狩野直喜."程颢";"程颐",中国哲学史.东京:岩波书店,1953

国士馆大学附属图书馆编."二程子论";"续二程子论",楠本正继

先生中国哲学研究.东京:国士馆大学附属图书馆,1975
唐君毅."二程即人道所言天道,即性理以言天理,与气之生生不息义","程子之穷理尽性即至命论,与天命、及外所遇之命",中国哲学原论."道论篇".香港:新亚研究所,1974
"原性(十二)二程之即生道言性与即理言性",中国哲学原论."原性篇".香港:新亚研究所,1974
张君劢."宋儒哲学之理性基础(一、二).程明道;程颐",新儒家思想史(上册).台北:张君劢先生奖学金基金会,1979
Graham, A. C. Two Chinese Philosophers: Ch'êng Ming-tao and Ch'êng Yi-ch'uan. London: Lund Humphries, 1958.
市川安司.程伊川哲学の研究.东京:东京大学出版会,1964
林科棠."程明道";"程伊川",宋儒与佛教.王云五主编.台北:台湾商务印书馆,1966
刘彩姮."二程子哲学之研究".台北:私立中国文化大学硕士论文,1966
牟宗三."程明道之一本论";"程伊川的分解表示",心体与性体.第二册.台北:正中书局,1975
钱　穆."朱子对濂溪横渠明道伊川四人之称述",朱子新学案.三.台北:三民,1971
黄公伟."洛学本期与'洛学'程颢":"洛学本期与'洛学'程颐",宋明清理学体系论史.台北:幼狮书店,1971
山本命."程明道の儒学";"程伊川の儒学",宋时代儒学の伦理的研究.东京:理想社,1973
李群英."程颢";"程颐",王阳明与中国之儒家.台北:中华书局,1974
杨树荣."程颐教育思想研究".台北:私立中国文化学院硕士论文,1974
唐君毅."程明道之无内外、彻上下之天人不二之道"(上、下);"程

伊川于一心,分性情、别理气,以敬直内,以格物穷理应外之道"(上、下),中国哲学原论.原教篇.香港:新亚研究所,1975

罗　光."程颢的哲学思想";"程颐的哲学思想",中国哲学思想史(三).台北:先知,1976

蔡仁厚."程明道"(一至五);"程伊川"(一至五),宋明理学.北宋篇.台北:学生书局,1977

韦政通."二程",中国哲学辞典.台北:大林,1977

钱　穆."程颢","程颐",宋明理学概述.台北:学生书局,1977

森三树三郎."程明道——天理、万物一体の仁","程伊川——性即理,理气二元论",中国思想史(下).东京:第三文明社,1978

土田健次郎."程颢と程颐における气の概念",气の思想:中国における自然观と人间观の展开.[小野泽精一等编].东京:东京大学出版会,1978

曾振都."程明道仁道思想之研究".台北:私立中国文化学院硕士论文,1978

Chan, Wing-tsit: 'Patterns for Neo-Confucianism: Why Chu Hsi Differed from Ch'eng I?' Journal of Chinese Philosophy 5 (1978): 101～126.

戴景贤."北宋周张二程思想之分析".台北:国立台湾大学出版委员会,1979

董金裕."敬义夹持,相反相成的二程的兄弟",宋儒风范.台北:东大图书公司,1979

臧广恩."程明道","程伊川",中国哲学史.台北:商务,1982

劳思光."程颢之学";"程颐之学",中国哲学史.第三卷上册.香港:友联,1980

韦政通."程颢与程颐",中国思想史.下册.台北:大林,1980

Fang, T. H. 'Neo-Confucianism of the Realistic Type(B)'. In Chinese Philosophy: Its Spirit and Its Development. Taipei: Linking Publishing Co., 1981. pp. 377~400

方克立."论程颐的知行学说",中国哲学.中国哲学编委会编,第五辑.北京:三联书店,1981,第100~117页

张立文."洛学——程颢、程颐的道学思想",宋明理学研究.北京:中国人民大学出版社,1985

徐复观."程朱异同——平铺地人文世界与贯通地人文世界",中国思想史论集续编.台北:时报文化,1982

陈荣捷."程氏学派","程颐","程颢",中国哲学辞典大全.韦政通主编.台北:水牛出版社,1983

侯外庐,邱汉生,张岂之主编."程颢程颐的理学思想",宋明理学史.上卷.北京:人民出版社,1984

陈　来."关于程朱理气学说两条资料的考证".中国哲学史研究,1983(11):85~88

吴　怡."程朱的思想及其对理学的贡献",中国哲学发展史.台北:三民,1984

冈田武彦."宋学の精神",宋明哲学の本质.东京:木耳社,1984

李承焕."程明道思想中'价值'之根据与其实践的问题".台北:台大哲学研究所硕士论文,1984

Henderson, John B. 'Correlative Cosmology in the Ch'eng-Chu School.' In The Development and Decline of Chinese Cosmology. New York: Columbia University Press, 1984. pp. 126~131

冯耀明."二程的道德教育思想及其当代意义",中国哲学的方法论问题.台北:允晨,1989

曾春海."二程哲学思想述要".中国哲学史研究,1995(18):67~77

熊　琬."程颢与佛学";"程颐与佛学",宋代理学与佛学之探讨.台

北:文津,1985
孙振青."程明道";"程伊川",宋明道学.台北:千华,1986
张德麟.程明道思想研究.台北:学生书局,1986
李日章.程颢·程颐.台北:东大图书公司,1986
刘象彬.二程理学基本范畴研究.开封:河南大学出版社,1987
贾顺先."宋明理学创始人程颢、程颐的'天理'哲学",宋明理学新探.成都:四川人民出版社,1987
杨祖汉.程伊川的才性论.鹅湖,1986(129):30～38
石训等."程颢、程颐的哲学思想"(上、下),北宋哲学史.下卷.郑州:河南人民出版社,1987
徐远和."洛学的创始人——程颢、程颐";"二程的洛学"(上、中、下),洛学源流.济南:齐鲁书社,1987
潘富恩,徐余庆.程颢程颐理学思想研究.上海:复旦大学出版社,1988
孙振青."程伊川哲学".中国哲学史研究,1987(28):79～94
张永儁.二程学管见.台北:东大图书公司,1988
沈善洪,王凤贤."程颢、程颐的伦理学说",中国伦理学说史.下.杭州:浙江人民出版社,1988
卢连章.二程学谱.郑州:中州古籍出版社,1988
庞万里.二程哲学体系.北京:航空航天大学出版社,1992
钟彩钧."二程心性说析论".中央研究院中国文哲研究集刊,1991(1):413～449;"二程本体论要旨探究——从自然论向目的论的展开".同上 1992(2):385～422;"二程道德论与工夫论述要".同上 1994(4):1～36

## 三、中文、日文参考书目

方东美.中国人生哲学.台北:黎明文化,1979

中国大乘佛学.台北:黎明文化,1984
生生之德.台北:黎明文化,1979
华严宗哲学.上、下册.台北:黎明文化,1980
王邦雄,曾昭旭,杨祖汉.论语义理疏解.台北:鹅湖,1985
孟子义理疏解.台北:鹅湖,1985
王守仁.王阳明全书.台北:正中书局,1953
王　煜.儒家的中和观.香港:龙门,1967
中国哲学史学会编.论宋明理学.杭州:浙江人民出版社,1983
石训等著.北宋哲学史.上下卷.郑州:河南人民出版社,1987
冉云华.宗密.台北:东大图书公司,1988
甲　凯.宋明心学评述.台北:台湾商务印书馆,1967
朱秉义.王阳明入圣的工夫.台北:幼狮,1979
朱　熹.四书集注.长沙:岳麓书社,1985
语子语类.宋·黎靖德编.北京:中华书局,1986
牟宗三.牟宗三先生的哲学与著作.台北:学生书局,1978
中国哲学的特质.香港:人生,1963
道德的理想主义.台北:学生书局,1978
政道与治道.台北:广文,1974
历史哲学.台北:学生书局,1976
心体与性体.第一、二、三册.台北:正中书局,1968/1969
从陆象山到刘蕺山.台北:学生书局,1979
智的直觉与中国哲学.台北:台湾商务书局,1971
佛性与般若.上下册.台北:学生书局,1977
康德的道德哲学.台北:学生书局,1982
圆善论.台北:学生书局,1985
中国哲学十九讲.台北:学生书局,1983
成中英.中国哲学的现代化与世界化.台北:经联,1985
方法概念与本体诠释学——一个方法论的新建构.中国论

坛.第19卷(1984):49～54
沈善洪,王风贤.中国伦理学说史.上下卷.杭州:浙江人民出版社,1985/1987
岑溢成.大学义理疏解.台北:鹅湖,1985
吴　怡.中庸诚的哲学.台北:东大图书公司,1976
明·徐必达编.周张全书.京都:中文,1981
阿部正雄.禅与西方思想.Zen and Western Thought,王雷泉,张汝伦译.上海:译文出版社,1989
胡　宏.胡宏集.北京:中华书局,1987
姜国柱.张载的哲学思想.沈阳:辽宁人民出版社,1982
高宣扬.解释学简论.香港:三联书店,1988
高攀龙.高子遗书.卷三、卷十
秦家懿.王阳明.台北:东大图书公司,1987
徐崇温.结构主义与后结构主义.沈阳:辽宁人民出版社,1986
殷　鼎.理解的命运:解释学初论.北京:三联书店,1988
荒木见悟.佛教与儒教.东京:平乐寺书店,1963
唐君毅.中国哲学原论.导论篇、原性篇、原道篇三卷、原教篇.香港:新亚研究所,1974/1975
　　　　道德自我之建立.香港:人生,1963
　　　　文化意识与道德理性.下.台北:学生书局,1975
　　　　中国文化之精神价值.台北:正中书局,1953
　　　　人文精神之重建.香港:新亚书院,1974
　　　　中西哲学思想之比较研究集.台北:宗青图书,1978
　　　　生命存在与心灵境界.上下册.台北:学生书局,1977
张立文.中国哲学范畴发展史.天道篇.北京:中国人民大学,1988
张汝伦.意义的探究——当代西方释义学.沈阳:辽宁人民,1986
张岱年.中国哲学大纲.北京:中国社会科学,1982
张　载.张载集.北京:中华书局,1978

陈　来. 朱熹哲学研究. 北京：中国社会科学，1987
陈荣华. "孟子人性论之现象学解析". 上、下. 哲学与文化. 第十卷（1983）：394～402，465～473
陆九渊. 陆九洲集. 北京：中华书局，1980
劳思光. 中国哲学史. 第一、二、三卷. 香港：中文大学崇基书院，友联，1968，1971，1980
　　王门功夫问题之争议及儒学精神之特色. 新亚学术集刊. 1982(3)：1～20
　　大学译注. 香港：友联，1964
　　中庸译注. 香港：友联，1982
程兆熊. 易经讲义. 香港：新亚书院，1962
　　大学讲义. 香港：新亚书院，1960
　　完人的生活与风姿. 台北：大森，1978
冯耀明. "致知"概念之分析——试论朱熹、王阳明致知论之要旨. 星加坡：东亚哲学研究所，1986
傅伟勋. 从西方哲学到禅佛教——"哲学与宗教"第一集. 台北：东大图书公司，1986
铃木大拙. 禅与生活. Zen Buddhism，刘大悲译. 台北：志文，1960
铃木大拙，佛洛姆. 禅与心理分析. Buddhism and Psychoanalysis，孟祥森译. 台北：志文，1977
葛兆光. 禅宗与中国文化. 上海：人民出版社，1986
杨承彬. 中国知行学说研究. 台北：台湾商务印书馆，1978
杨祖汉. 中庸义理疏解. 台北：鹅湖，1984
廖炳惠. 解构批评论集. 台北：东大图书公司，1985
赵吉惠，郭惠安主编. 中国儒学辞典. 沈阳：辽宁人民，1989
蒙培元. 理学的演变：从朱熹到王夫之戴震. 福州：福建人民出版社，1984
　　理学范畴系统. 北京：人民出版社，1989

刘百闵. 易事理学序论. 香港：学不倦斋,1965
刘述先. 朱子哲学思想的发展与完成. 台北：学生书局,1984
刘述先编. 儒家伦理研讨会论文集. 星加坡：东亚哲学研究所,1987
刘建国. 中国哲学史史料学概要. 上下. 吉林：人民书局,1981
蔡仁厚. 宋明理学. 南宋篇、北宋篇. 台北：学生书局,1978/1980
邓元忠. 王阳明圣学探讨. 台北：正中书局,1975
钱　穆. 朱子新学案. 五册. 台北：三民,1970
龙潜庵. 宋元语言词典. 上海：上海辞书出版社,1985
谢仲明. 儒学与现代世界. 台北：学生书局,1986
罗　光. 儒家形上学. 台北：中华文化,1957
　　　　中国哲学思想史. 三册. 台北：先知,1976

## 四、西文参考书目

Apel, K. O. 'Diltheys Unterscheidung von, Erklären' und, Verstehen 'in Lichte der Problematik der modernen Wissenschaftstheorie.' In Dilthey und die Philosophie der Gegenwart. Edited by E. W. Orth. Freiburg/Munich: Verlag Karl Alber, 1985. pp. 285～347.

Bartsch, H. W. ed. Kerygma and Myth: A Theological Debate. Vol. 1. London: SPCK, 1960.

Bauer, K. Der Denkweg von Jürgen Habermas zur Theorie des kommunikativen Handelns. Regensburg: S. Roderer Verlag, 1987.

Betti, E. Allgemeine Auslegungslehre als Methodik der Geisteswissenschaften. Tübingen: J. C. B. Mohr, 1967.
　　　Die Hermeneutik als Allgemeine Methodik der Geisteswissenschaften. Tübingen: J. C. B. Mohr, 1962.

Bleicher, J. Contemporary Hermeneutics: Hermeneutics as Method, Philosphy and Critique. London: Routledge and Kegan Paul, 1980.

Bultmann R. Existence and Faith. Cleveland: World Publishing Co., 1960.

History and Eschatology. Edinburgh: Edinburgh University Press, 1975.

New Testament and Mythology. Philadelphia: Fortress, 1984.

Burnet, J. Early Greek Philosophy. London: Adam and Charles Black, 1908.

Greek Philosophy: Thales to Plato. London: Macmillan, 1964.

Collingwood, R. G. The Idea of History. London: Oxford University Press, 1946.

Chu Hsi. Reflections on Things at Hand: The Neo-Confucian Anthology. Translated by Wing-tsit Chan. New York: Columbia University Press, 1967.

De Bary, W. T. ed. Self and Society in Ming Thought. New York: Columbia University Press, 1970.

The Unfolding of Neo-Confucianism. New York: Columbia University Press, 1975.

Deikman, A. 'Deautomatization and the Mystic Experience.' Psychiatry 29 (1966): 329~343.

Dilthey, W. Gesammelte Schriften. [edited by B. Groethuysen et. al.] Stuttgart: B. G. Teubner Verlagsgesellschaft, 1913.

Elliston, F. and McCormick, P. ed. Husserl: Expositions and

Appraisals. Notre Dame: University of Notre Dame Press, 1977.

Ermarth, M. Wilhelm Dilthey: The Critique of Historical Reason. Chicago: University of Chicago Press, 1978.

Fang, T. H. Chinese Philosophy: Its Spirit and its Development. Taipei: Linking Publishing Co., 1981.

Forke, A. Geschichte der neueren chinesischen Philosophie. Hamburg: de Gruyter & Co., 1938.

Freeman, K. Ancilla to the Pre-Socratic Philosophers. Oxford: Basil Blackwell, 1971.

Fromm, E. Marx's Concept of Man. New York: Frederick Ungar Publishing Co., 1961.

Gadamer, H. G. Philosophical Hermeneutics. Berkeley: University of California Press, 1976.

Wahrheit und Methode: Grundzüge einer philosophischen Hermeneutik. Tübingen: J. C. B. Mohr, 1986. English Translation by J. Weinsheimer and D. G. Masshall as Truth and Method. New York: Crossroad, 1989.

Garrigou-Lagrange, R. The Three Ways of The Spiritual Life. Rockford: Tan Books and Publishers, 1977.

Gedalecia, D. 'Wu Ch'eng's Approach to Internal Self-cultivation and External Knowledge-seeking.' In Yüan Thought: Chinese Thought and Religion Under the Mongols. Edited by H. L. Chan and W. T. de Bary. New York: Columbia University Press, 1982.

Gould, C. C. Marx's Social Ontology: Individual and Community in Marx's Theory of Social Reality. Cambridge, Mas-

sachusetts: MIT Press, 1980.
Guthrie, W. K. C. The Greek Philosophers: From Thales to Aristotle. London: Methnes, 1967.
Habermas, J. Communication and the Evolution of Society. Boston: Beacon Press, 1979.
Theorie des Kommunikativen Handelns, Vol. 1: Handlungssrationalität und gesellschaftliche Rationalisierung. Frankfurt: Suhrkamp Verlag, 1981. English translation by T. McCarthy as The Theory of Communicative Action, Vol. 1: Reason and Rationalization of Society. Boston: Beacon Press, 1984.
Vorstudien und Ergänzungen zur Theorie des kommunikativen Handelns. Frankfurt: Suhrkamp. 1984.
Heidegger, H. Basic Writings. New York: Harper and Row, 1977.
Sein und Zeit. Tübingen: Max Niemeyer Verlag, 1960. English Translation by J. Macquarrie and E. Robinson as Being and Time. Oxford: Basil Blackwell, 1978.
Hodges, H. A. The Philosophy of Wilhelm Dilthey. London: Routledge Kegan Paul, 1952.
Holm, N. G. ed. Religious Ecstasy. Uppsala: Almqvist and Wiksell, 1982.
Howard, Roy J. Three Faces of Hermeneutics. Berkeley: University of California Press, 1982.
Hussey, E. The Presocratics. London: Gerald Duckworth, 1972.
Ingram, D. Habermas and the Dialectic of Reason. New Haven: Yale University Press, 1987.

Johnston, W. The Inner Eye of Love: Mysticism and Religions. Glasgow: Collins, 1978.

　　Silent Music: The Science of Meditation. Glasgow: Collins, 1976.

　　The Still Point: Reflections on Zen and Christian Mysticism. New York: Fordham University Press, 1970.

　　Kant's Critique of Practical Reason and other works on the Theory of Ethics. Translated by T. K. Abbott. London: Longmans, Green and Co., 1879.

Kasulis, T. P. Zen Action/Zen Person. Honolulu: University Press of Hawaii, 1981.

Katz, S. T. ed. Mysticism and Philosophical Analysis. London: Sheldon Press, 1978.

Kenny, A. Will, Freedom and Power. Oxford: Basil Blackwell, 1975.

Kirk, G. S. and Raven, J. E. The Presocratic Philosophers. London: Cambridge University Press, 1960.

Klemm, D. E. The Hermeneutical Theory of Paul Ricoeur. Lewisburg: Bucknell University Press, 1983.

Knowles, D. What is Mysticism? London: Burns and Oates, 1967.

Kockelmans, J. 'Destructive Retrieve and Hermeneutic Phenomenology in "Being and Time".' In Radical Phenomenology: Essays in Honor of Martin Heidegger. Edited by J. Sallis. Atlantic Highlands: Humanities Press, 1978.

Laski, M. Ecstasy. New York: Greenwood Press, 1968.

Leung, T. I. S. 'The Fang-Fa (Method) and Fang-fa-lun

(Methodology) in Confucian Philosophy.' Ph. D. dissertation, University of Hawaii, 1986.

Lewis, I. M. Ecstatic Religion: An Anthropological Study of Spirit Possession and Shamanism. Harmondsworth: Penguin Books, 1971.

Livergood, N. D. Activity in Marx's Philosophy. The Hague: Martinus Nijhoff, 1967.

Luckmann, T. Life-World and Social Realities. London: Heinemann, 1983.

Macmurray, J. Persons in Relation. London: Faber and Faber, 1961.

Self as Agent. New York. Harper and Brothers, 1975.

Macquarrie, J. An Existentialist Theology: A Comparison of Heidegger and Bultmann. New York: Macmillan, 1955.

The Scope of Demythologizing: Bultmann and his Critics. London: SCM, 1960.

Marx, K. Capital: A Critique of Political Economy. Vol. 1. Harmondsworth: Penguin Books, 1976.

Grundrisse der Kritik der Politischen Ökonomie. Berlin: Dietz Verlag, 1953.

Karl Marx: Early Texts. Ed. by D. McLellan. Oxford: Basil Blackwell, 1979.

Maslow, A. H. Religions, Values, and Peak-Experiences. Harmondsworth: Penguin Books, 1976.

Matthiesen, U. Das Dickicht der Lebenswelt und die Theorie des kommunikativen Handelns. Munich: Wilhelm Fink Verlag, 1983.

May, R. Man's Search for Himself. London: Souvenir Press,

1975.

McCarthy, T. The Critical Theory of Jürgen Habermas. Cambridge: Polity Press, 1984.

Metha, J. L. Martin Heidegger: The Way and the Vision. Honolulu: University Press of Hawaii, 1967.

Moore, C. A. ed. The Chinese Mind: Essentials of Chinese Philosophy and Culture. Honolulu: University of Hawaii Press, 1967.

Moran, P. E. 'Explorations of Chinese Metaphysical Concepts: The History of Some Key Terms from the Beginnings to Chu Hsi(1130~1200).' Ph. D. dissertation, University of Pennsylvania, 1983.

Natanson, M. ed. Phenomenology and Social Reality: Essays in Memory of Alfred Schutz. The Hague: Martinus Nijhoff, 1970.

Ornstein, R. E. The Psychology of Consciousness. Harmondsworth: Penguin Books, 1975.

Owens, T. J. Phenomenology and Subjectivity. The Hague: Martinus Nijhoff, 1970.

Palmer, R. E. Hermeneutics. Evanston: Northwestern University Press, 1969.

Plantinga, T. Historical Understanding in the Thought of Wilhelm Dilthey. Toronto: University of Toronto Press, 1980.

Pusey, M. Jürgen Habermas. London: Tavistock Publications, 1987.

Rickman, H. P Wilhelm Dilthey: Pioneer of the Human Studies. London: Paul Elek, 1979.

Ricoeur, P. The Conflict of Interpretations: Essays in Hermeneutics. Evanston: Northwestern University Press, 1974.

Freedom and Nature: The Voluntary and the Involuntary. Evanston: Northwestern University Press, 1966.

Interpretation Theory: Discourse and the Surplus of Meaning. Fort Worth: Texas Christian University Press, 1976.

'The Model of the Text: Meaningful Action Considered as a Text.' Social Research 38 (1971): 529~562.

Rotenstreich, N. Theory and Practice: An Essay in Human Intentionalities. The Hague: Martinus Nijhoff, 1977.

Rowan, J. Ordinary Ecstasy: Humanistic Psychology in Action. London: Routledge and Kegan Paul, 1976.

Scharfstein, B. Mystical Experience. Oxford: Basil Blackwell, 1973.

Schleiermacher, F. Hermeneutics: The Handwritten Manuscripts. Missoula: Scholars Press, 1977.

Schmit, R. Martin Heidegger on Being Human. Gloucester: Peter Smith, 1976.

Schrag, C. O. Communicative Praxis and the Space of Subjectivity. Bloomington: Indiana University Press, 1986.

Experience and Being: Prolegomena to a Future Ontology. Evanston: Northwestern University Press, 1969.

Schütz, A. Der sinnhafte Aufbau der sozialen Welt. Frankfurt: Suhrkamp, 1974. English translation by G. Walsh and F. Lehnert as The Phenomenology of the Social World. London: Heinemann, 1972.

　　　　'Some Sturctures of the Life-World.' In <u>Alfred Schutz's</u>
　　　　<u>Collected Papers</u>Ⅲ, pp. 116~132. Edited by I. Schutz.
　　　　The Hague: Martinus Nijhoff, 1966.
Schütz, A. and Luckmann, T. <u>Strukturen der Lebenswelt.</u>
　　　　Vol. 1. Frankfurt: Suhrkamp, 1979. English Transla-
　　　　tion as <u>The Structures of the Life-World.</u> Evanston:
　　　　Northwestern University Press, 1973.
　　　　<u>Die Strukturen der Lebenswelt.</u> Vol. 2. Frankfurt: Su-
　　　　hrkamp, 1983. English Translation as <u>The Structures of</u>
　　　　<u>the Life-World.</u> Vol. 2. Evanston: Northwestern Uni-
　　　　versity Press, 1989.
Shapiro, G. and Sica, A. ed. <u>Hermeneutics: Questions and</u>
　　　　<u>Prospects.</u> Amherst: University of Massachusetts
　　　　Press, 1984.
Spiegelberg, H. <u>The Phenomenological Movement: A Historical</u>
　　　　<u>Introduction.</u> The Hague: Martinus Nijhoff, 1982.
Staal, F. <u>Exploring Mysticism.</u> Harmondsworth: Penguin
　　　　Books, 1975.
Suzuki, P. T. <u>Mysticism Christian and Buddhist: The Eastern</u>
　　　　<u>and Western Way.</u> New York: Collier, 1962.
Taylor, Rodney L. <u>The Cultivation of Sagehood as a Religious</u>
　　　　<u>Goal in Neo-Confucianism: A Study of Selected Writings</u>
　　　　<u>of Kao P'an-lung, 1562 ~ 1626.</u> Missoula: Scholars
　　　　Press, 1978.
Thatcher, A. <u>The Ontology of Paul Tillich.</u> Oxford: Oxford U-
　　　　niversity Press, 1978.
Thompson, John B. <u>Critical Hermeneutics: A Study in the</u>
　　　　<u>Thought of Paul Ricoeur and Jürgen Habermas.</u> Cam-

bridge: Cambrideg University Press, 1981.
Wachterhauser, B. R. ed. Hermeneutics and Modern Philosophy. Albany: State University of New York Press, 1986.
Wagner, H. R. Phenomenology of Consciousness and Sociology of the Life-World. Edmonton: University of Alberta Press, 1983.
Wan, M. 'Authentic Humanity in the Theology of Paul Tillich and Karl Barth.' D. Phil. dissertation, Oxford University, 1984.
Warnke, G. Gadamer: Hermeneutics, Tradition and Reason. Stanford: Stanford University Press, 1987.
Weinsheimer, J. C. Gadamer's Hermeneutics: A Reading of 'Truth and Method'. New Haven: Yale University Press, 1985.
Wood, A. Karl Marx. London: Routledge and Kegan Paul, 1981.
Woods, R. ed. Understanding Mysticism. London: Athlone Press, 1981.
Zaehner, R. C. Mysticism: Sacred and Profane. Oxford: Oxford University Press, 1961.
Zeller, E. Outlines of the History of Greek Philosophy. London: Routledge and Kegan Paul, 1931.
Zimmermann, M. E. Eclipse of the Self: The Development of Heidegger's Concept of Authenticity. Athens: Ohio University Press, 1981.

# 索　引

### 哲　学　名　词

一本　21～27,29～32,35,38
　　～40,44,47,48,51,53,
　　55,130
一系说　9
人文研究
　　（Geisteswissenschaften）
　　62～64,86
人的在此存在（Dasein）　76,
　　82,116
工夫　10,12,14～16,18,19,
　　21,23,25,26,40,43～45,
　　52,53,55,58,138
万物气象　111,137
已发　134,136,138,139
习性　103,104
习性的过滤机能
　　（automatization）　48
天人　23,34,35,53

天人相合　34
天理　11,103,104
历史　80～87,125
互为主体性（intersubjectivity）
　　35,93
中　136
中和　136～138
内、外　36,37,53,108
内外两忘　36,37,44,52,53
气　5,11,67
仁　5,35,36
分别相　22～26,32～34,38,
　　47,48,127
文本（text）　71,75
认知　19,47,48,98
心　5,22～24,27,28,37
本体（being）　26,32,34,40～
　　43,116

本体学(论)　104,116~118,
　　129,135,136,138
本质　41
可能性　82,121
生命世界(Lebenswelt)　78,
　　80,87~91
生命体验(Erlebnis)　45,63,
　　77~80
生命体验外在化的呈现
　　(Erlebnisausdrücke)　16
用力　41~44
主一　108~111,137,138
主观的(subjective)　112
主体(subject)　98,112
主体性　98,115
主体性的(subjectival)　112
礼　93~95,104
圣人　14,39,40,44,80,82,
　　83,85,90,94,106,118
圣贤　74,80,81,83
圣贤典籍　77,123,125
动、静　31,52,138
再体验(re-experience)　77,
　　78,86,87
存在(existence)　26,32~35,
　　118
存有(Being)　116,118
自我实现　97,98

观物　111,117~123
观物察己　111,118,120,123
观照(perspective)　27,38,
　　44,138,139
观照境界　19,25~27,32,47,
　　49,51
志　59
把持　44,45,51,52,54,55
体　136~138
体悟　34,45,52
体验　47,55,72,84,86~88,
　　99,111,125
应对　90,92,93
应然(ought-ness)　40,44
忘　37~39,49,52
沟通行动(communicative
　　action)　90,93~95
现象学　35,73,110,118,138
卦　69,104,108,113~115,
　　117,119
直内　36,50,54,108,109,
　　111,137
事理　68,69,96
具体解悟　84,86,87
易　5,80,108,113~115,117,
　　118,129
物理　117
实存　43,44,82,84,116

实存的相遇(existential encounter) 84
实然(is-ness) 40,44
诚 22,23,50,51,53~55
视域(horizon) 26,27,79,80,138,139
视域的融摄(fusion of horizons) 17,79
诠释(hermeneutics) 71~73,75,77~80,84,121
诠释学 16,18,19,71,75,119,125
经 73,77,80
重构(reconstruction) 87
修 51,55,136,138,140,141
修养 16,44,55
待人 90,92
待人接物 70,87
闻见之知 61,62,123~126
洒扫 90,96,105,106
洒扫应对 54,55,90,106,111
洛阳 1,20,132
洛学 4,12,132
客体(object) 112
客体性的(objectival) 112
统摄 35,38~40,46,48
统摄观照 29,31,47
统摄意向 25,26,32

格物 5,23,59~61,65,81,87
格物穷理 62,64~66
格物致知 11,62,65,69,72,80
致知 23,59,61,71,87,88,90,124,127,137
圆顿 26,33,58,127
圆融 25,26,32~37,47
悟 45,49~51,55,56,122,136,138~141
读书 63,70,74,75,77
理 5,6,11,27,51,59~61,67~69,96,115,116
理解(understanding) 17,19,71,78,121,122
接物 87,92,96
欲 51,103,104
减 39,51,140
敬 15,51,53~55,106~111,137,138
循环诠释(hermeneutic circle) 118,119
善恶 5,41
普遍性(universality) 83
道德生命 40,44,54,76,80,86,87,90~93,95,96,99,101,103,106,107,111,117,122,123,125,130,

134,136,137
道德实践 23,31,32,38~40,80,106,107
感应 119~121
简单化 38,127
解构(deconstruction) 87
解脱习性 47~50
解脱习性的历程(deautomatization) 47~50

解释(interpretation) 17
意志 99~102,105~111
意识(consciousness) 45~49,91~93,109
慎独 51,53~55,129
境界 22,25,26,35,38,40,41,44,47,48
德性之知 62,123~126
操练 51,90,99,100,103~106

## 人物、著作

《二程圣人之学研究》 14
《二程学管见》 13
《二程学谱》 12
《二程研究》 4,11
《二程哲学体系》 14
《二程理学基本范畴研究》 11
《二程集》 11
《大地人物——理学人物之生活的体认》 6
《中国哲学史》 3
《中国哲学原论》 7,9
《心体与性体》 7,13,65,66,129,130
《存有与时间》(Sein und Zeit) 81,85,107,121

《朱子新学案》 9
《宋明理学史》 11
《宋明理学研究》 11
《识仁篇》 35,40,43,53
《定性书》 13,31,38~40
《洛学源流》 12
《浙东学派溯源》 3
《程伊川年谱》 4
《程明道思想研究》 8,13
《程颢·程颐》 13
《程颢程颐理学思想研究》 11
马克思(Karl Marx) 90,97,99
王阳明 9,55,129
王孝鱼 1,10

## 索 引

贝蒂(Emilio Betti) 71,72
方东美 51,52,111
巴曼尼德斯(Parmenides) 28,116
布特曼(Rudolf Bultmann) 84
卢连章 12
市川安司 5,6,67,119
冯友兰 3
亚理士多德(Aristotle) 17,116
成中英 119
朱熹 2,7,9,62,65~69,106,133
刘象彬 11
刘蕺山 43,129
牟宗三 7~10,16,21,24,52,85,129,130,134
劳思光 9,10,55,108
杜维明 124
李日章 12,13
利科(Paul Ricoeur) 19,75,100,103
何炳松 3
佛洛姆(Erich Fromm) 49
伽达默(Hans-Georg Gadamer) 17,75,79,121

余英时 123
狄尔泰(Wilhelm Dilthey) 62~64,78,86
狄百瑞(William Theodore de Bary) 7
沙利文(Robert P. Scharlemann) 112
张立文 11
张永儁 13
张横渠 9
张德麟 8,13
陆王 3
陆象山 9,129
陈荣捷 7
周濂溪 9
庞万里 14
柏拉图(Plato) 3
哈伯马斯(Jürgen Habermas) 93,95
钟彩钧 14
侯外庐 11
前苏格拉底(pre-Socratic) 28
费雪(R. Fischer) 49
姚名达 4
秦家懿 55
莫卡尔利(John Macquarrie) 82

徐远和　12
徐余庆　11
徐复观　68
唐君毅　7,9,101,110,114
海德格（Martin Heidegger）
　　75,81～83,107,116,118,
　　121
康德（Immanuel Kant）　109
葛瑞汉（A. C. Graham）　5
黑格尔（G. W. F. Hegel）
　　84
程朱　2,3
程兆熊　6,38,127
舒尔兹（Alfred Schütz）　87,
　　90,91
管道中　4,11
潘富恩　11
戴民（Arthur Deikman）　48,
　　49